Panorama du theatre nouveau

edited by

JACQUES G. BENAY

REINHARD KUHN

State University of
New York at Buffalo

Brown University

Panorama du

New York

APPLETON-CENTURY-CROFTS
EDUCATIONAL DIVISION
MEREDITH CORPORATION

THEATRE NOUVEAU

VOLUME 3

le théâtre de la dérision

PIQUE-NIQUE EN CAMPAGNE   Fernando Arrabal
LES BATISSEURS D'EMPIRE   Boris Vian

acknowledgments for plays

p. 11

Editions Julliard, Paris, for Fernando Arrabal's PIQUE-NIQUE EN CAMPAGNE, 1961. Copyright René Julliard 1961. Droits de représentation gérés par l'Office Artistique International, 52 Champs-Elysées, Paris 8°.

p. 39

L'Arche, Paris, for Boris Vian's LES BATISSEURS D'EMPIRE, 1965. Copyright L'Arche S.A.

acknowledgments for pictures

pp. 12, 25, 40, 87

Agence de Presse Bernand, 106, rue de Richelieu, Paris 2°.

preface

In his last novel, *La Chute,* Albert Camus draws the fictional portrait of a Parisian lawyer, Jean-Baptiste Clamence, a well-known and well-to-do defender of widows and orphans, who was always on the side of virtue and right. He enjoyed helping the blind across the street, showing strangers their way, assisting motorists in distress, and above all giving to the poor. Although he revelled in these acts of charity, he performed them without ostentation. So it is hardly surprising that Jean-Baptiste Clamence, handsome and in excellent health, was always surrounded by friends and admirers. In brief, he seemed the very incarnation of all the ideals of a secular, bourgeois society. A seemingly insignificant incident, however, sufficed to destroy his unquestioning and unquestioned attitude towards life. One evening, after a particularly good day (he had succeeded in having the sentence of one of his poor clients reduced and he had impressed a group of friends by his brilliant conversation), he was walking through the streets of Paris when suddenly, behind his back, he heard a laugh. For the first time in his life he felt stunned and had difficulty breathing. This is the beginning of his "fall." As this laughter recurs, his whole existence begins to disintegrate. The prominent barrister ends in a sordid Amsterdam bar as a *"juge pénitent,"* trying desperately to drown the destructive laughter in words and gin.

This derisive laughter, which corrodes the very foundations of an apparently happy life and which renders meaningless all human achievements, sends its mocking peals ringing through the contemporary theatre, from Jarry's *Ubu Roi* to Barbara Garson's *Macbird.*

v

The lost souls of Beckett and Pinget are its victims, and the walls of Genet's house of illusions are not solid enough to protect the inhabitants of *Le Balcon* from it. Although the effect of this mirthless rictus makes itself felt on the various denizens of the infernal regions depicted in the first two volumes of the *Panorama du théâtre nouveau,* the primary target of this laughter is the audience itself. Boris Vian and Fernando Arrabal might well have addressed their readers with the verse of Baudelaire: *"Hypocrite lecteur, mon semblable, mon frère."** By making of the spectator an accomplice, the authors of the theatre of derision achieve their goal. They destroy his self-complacency and his self-satisfaction. The laughter which they provoke is destructive, but what it destroys is the barrier that modern man has erected between himself and reality.

J. G. B.
R. K.

*Charles Baudelaire, "Au Lecteur," *Les Fleurs du Mal* (Paris, Garnier-Flammarion, 1964), p. 34.

contents

introduction

   Le théâtre nouveau contemporain est un théâtre d'avant-garde parce qu'il se propose de renouveler, sans relâche, les trois données essentielles qui caractérisent l'art théâtral: la dramaturgie, la mise en scène et le public. En même temps c'est un théâtre de dérision parce que, à l'origine de cette volonté de renouvellement, il faut voir une remise en question du problème de la réalité ainsi que de celui des formes dramatiques traditionnelles.

   En face des progrès vertigineux de la science et des métamorphoses bouleversantes que ceux-ci engendrent au sein de nos sociétés modernes, les avant-gardistes des années 50 maintiennent que, quelle que soit la validité d'une tradition, il est absurde de vouloir formuler des opinions et des sentiments nouveaux par l'entremise de moyens périmés, sinon usés. Continuateurs d'Alfred Jarry et des surréalistes, ils battent en brèche les pièces historiques des romantiques, les copies conformes des réalistes, les techniques photographiques et les tranches de vie des naturalistes. Ces procédés, transposés sur le plan de l'histoire et de la politique, incarnent, selon eux, le vieil ordre bourgeois avec sa morale et ses valeurs faites pour une époque révolue. Sur le plan artistique ils s'avèrent mensongers dans ce sens qu'ils ne révèlent la réalité que d'une façon imparfaite, voire erronée. Dans l'esprit des dramaturges du théâtre nouveau cette notion est beaucoup plus complexe que la littérature conventionnelle nous le laisse entendre. Le réel contient le visible et l'invisible, le conscient et l'inconscient, l'imaginaire et le surnaturel. Par ailleurs, ces éléments ne s'enchaînent pas les uns aux autres pour former un ensemble

1

cohérent et si possible harmonieux. Au contraire, ils se juxtaposent
sans nécessairement s'ordonner et s'équilibrer dans un temps et un
espace continus. Pour ces raisons l'idée même de vouloir appréhender
la réalité grâce à des règles précises et inviolables paraît à ces dramaturges arbitraire, sans fondement et par conséquent dérisoire.

Le théâtre traditionnel s'efforçait de reconstruire l'homme dans
son milieu et à un moment de l'histoire. Cette reconstruction en se con-
formant à un plan prédéterminé constituait une étude d'un cas. Elle
avait un commencement, un milieu et une fin. Elle résultait d'une
enquête à tendance soit politique soit sociale soit historique. Elle
tenait compte de la vraisemblance des personnages, de l'art du dialogue ou du monologue et, parallèlement, de l'exactitude du décor.
L'action théâtrale devait avoir des mobiles qui, une fois mis à jour,
révélaient le secret des cœurs, la « vie intérieure » des hommes. Au
dénouement, cette reconstruction fidèle du « réel » après avoir fait
éclater un conflit de passions, devait exercer un effet thérapeutique
sur les spectateurs.

L'on sait que ce fut Jarry qui, avec sa pièce *Ubu Roi*, bouleversa
en 1896 les conventions théâtrales en les parodiant avec une violence
verbale insolite. Profitant des leçons de ce précurseur de l'avant-
garde d'aujourd'hui, et de celles d'Apollinaire, de Cocteau, d'Artaud
et de Vitrac, Boris Vian, Arrabal, Tardieu, Ionesco, Pinget, Beckett,
Genet s'entendent pour affirmer, à leur tour, qu'il est préférable de
créer de toute pièce un personnage plutôt que d'essayer de reconstruire un homme selon les exigences naturalistes. La réalité ne nous
révélant jamais ses secrets, il est donc vain d'en donner des imitations
si belles soient elles. Pour cette raison le théâtre nouveau contemporain abolit les vraisemblances, supprime la résolution des conflits
de passions, disloque le langage formel, détruit l'architecture scénique
à l'italienne, bannit de la scène la psychologie. Quant au public il
préfère l'aliéner en le provoquant plutôt que de s'en faire un complice,
comme c'était le cas dans le théâtre traditionnel.

Si des auteurs tels que Ionesco, Vian et Arrabal tiennent à ne pas
s'acquérir la complicité des spectateurs, c'est parce qu'ils sont résolus
—toute question de technique mise à part—à ne pas mettre leur art
au service d'une philosophie ou d'une idéologie. Après Artaud, ils
décrient les facilités et les vaines conquêtes de l'humanisme, classique
et moderne. D'un commun accord ils en arrivent à reprocher à ses
représentants, qu'ils soient professeur, romancier ou philosophe, de

n'avoir pas su combler l'abîme effarant qui sépare l'homme de l'existence, l'existence de la culture.

C'est par la parodie, le vaudeville et la farce que les avant-gardistes manifestent leur rupture avec la tradition humaniste et ridiculisent sa faillite. Tardieu dans son *Faust et Yorick* se rit des savants qui sacrifient le bonheur des leurs en apparentant leur profession à un sacerdoce au nom de la vérité scientifique. Dans *Ce que parler veut dire* et *La Politesse inutile* cet auteur enlève à deux professeurs sentencieux leur dignité, l'un en lui faisant subir les injures d'un disque, désobéissant mais spirituel, l'autre, en confiant à un visiteur inconnu la mission de lui administrer une paire de gifles, pénibles mais nécessaires. Nous retrouvons cette satire du dogmatisme académique dans *Le Professeur Taranne* d'Adamov ainsi que dans *Les Violettes* de Schehadé où l'intellectuel, qui, dans la littérature bourgeoise, suscitait, en général, l'admiration et le respect, apparaît sous les traits d'un être diabolique, irresponsable de ses actions. Dans *La Leçon* de Ionesco la déchéance de ce sinistre individu est totale. A l'image classique du vieux professeur timide, modeste, courtois et obligeant, l'auteur substitue celle d'un tueur possédé par des désirs lubriques. Si dans *La Lacune* le même auteur n'a pas recours, cette fois, à son humour noir, la satire de l'humaniste n'en est pas moins impitoyable. Avec une bonhomie presque désarmante, il entreprend de bafouer un académicien en le faisant échouer aux épreuves du baccalauréat bien qu'il ait déjà la licence et le doctorat, et que, par surcroît, il soit président de la Commission du baccalauréat du ministère de l'Education nationale, docteur honoris causa, porte-parole de l'humanisme moderne, auteur d'une « Défense et illustration de l'humanisme », et trois fois... prix Nobel! Enfin, chez Arrabal, le mensonge et la fatuité de l'humaniste se résument en la personne d'un romancier, témoin de la bataille de *Guernica*. Son admiration pour la souffrance et l'abnégation du peuple espagnol, exprimée dans un style fleuri, contraste odieusement avec ses véritables mobiles. Ce romancier enivré par sa propre rhétorique, qui songe moins à secourir une humanité souffrante qu'à satisfaire ses intérêts, sa gloire et son amour-propre, symbolise aux yeux d'Arrabal le pédantisme et l'imposture de l'humanisme.

Dans ce théâtre de dérision les intellectuels ne font pas cavaliers seuls. Les militaires sont aussi l'objet du mépris et de la risée de ses dramaturges. Anti-militariste, Vian, dans *Le Goûter des généraux*, les force à faire une guerre qu'ils ne désirent pas parce qu'elle risque de désorganiser leur armée, de nuire à leur carrière et de « gâter » leurs beaux uniformes bien qu'elle ait l'avantage incontestable de remédier aux crises économiques en période de surproduction! La raison et le bon sens n'étant d'aucune utilité pour prévenir les conflits armés, il s'ensuit logiquement que la meilleure façon de montrer leur absurdité consiste en celle de renverser les données du problème tout en remplaçant la raison par le non-sens. *L'Equarrissage pour tous* de Vian et *Pique-nique en campagne* d'Arrabal illustrent parfaitement ce mécanisme de renversement envisagé comme ressort du comique de dérision qui caractérise le théâtre nouveau. Dans la première pièce, la guerre, loin d'être une horrible catastrophe, ressemble à une fête et à un ballet carnavalesque, dans la deuxième, à un divertissement et à une comédie chaplinesque. Le même principe est appliqué aux personnages. Ce ne sont pas des tragédiens mais bien des comédiens festoyant chez eux ou déjeunant et dansant sur l'herbe au son de la musique. La tragédie de la guerre devenue une comédie, un « anti-drame », au rythme rapide, ses personnages n'ont jamais le temps de prendre conscience de la réalité. Etrangers à celle-ci, ils sont emportés par la tourmente, pareils à des fétus de paille, sans même s'en rendre compte.

Cette présentation à rebours d'un problème aussi tragique que celui de la guerre permet à ces auteurs de dénoncer l'ineptie et la sénilité de tous les gardiens de l'ordre: militaires, politiciens, prélats. Le caractère anti-clérical d'une pièce telle que *Le Dernier des métiers* de Vian, le ton anti-fasciste de *Guernica* d'Arrabal, la lutte des classes dans *Le Printemps 71* d'Adamov, les problèmes du colonialisme dans *Les Paravents* et du racisme dans *Les Nègres* de Genet font de l'avant-garde contemporaine un théâtre de témoignage qui l'apparente au théâtre engagé d'un Sartre (*Les Mains sales, Les Séquestrés d'Altona*) et d'un Camus (*L'Etat de siège, Les Justes*) par une certaine similarité sur le plan de l'inspiration plutôt que par celui de la forme qui demeure, chez ces derniers, conventionnelle.

Cependant, pour la majorité des avant-gardistes, l'œuvre de protestation doit être subordonnée à la projection, sur la scène, de l'homme entrevu au-delà de son contexte social. Ceci explique le fait que si les soldats, les vieillards, les humbles et les amoureux d'un Arrabal deviennent tôt ou tard les victimes d'une justice inique au service de la force, leurs souffrances, leurs tourments, voire leur martyre n'en font pas nécessairement des saints ou des héros. Ni non plus des hommes mûrs. Innocents et espiègles, bons et cruels, ces personnages donnent, au premier abord, l'étrange impression de ressembler à des enfants vivant dans un monde à part et sans issue. Dans *Guernica* Arrabal les ensevelit au milieu de décombres. Dans *Le Labyrinthe* il les emprisonne dans des latrines pour nous les montrer ensuite inexorablement enchevêtrés dans un dédale de couvertures. Dans *Fando et Lis* il les situe nulle part, en route pour une ville qu'ils n'atteindront jamais. On retrouve cette atmosphère de claustration dans *Les Bâtisseurs d'empire* où Vian enferme une famille dans un appartement qui se rétrécit à la manière de cette peau de chagrin imaginée par Balzac.

Sans passé et sans mémoire ces êtres sont condamnés à piétiner sur place, tantôt menottes aux pieds et aux poings, tantôt enchaînés et fouettés par leurs bourreaux ou hantés par le « Bruit ». Afin de tromper l'inertie du temps qui ne débouche que sur un néant, Arrabal, tout particulièrement, leur ouvre les voies du rêve et du divertissement. Ainsi coupés d'eux-mêmes et du monde, certains, pour se distraire, s'amusent à épier des couples enlacés (*Le Cimetière des voitures, Le Couronnement*), à tourmenter un cul-de-jatte (*Cérémonie pour un noir assassiné*) ou des poupées (*Le Grand cérémonial*). Ailleurs, d'autres, sans raison apparente, décident d'être bons, mais ce jeu comme celui de la guerre ou de l'amour finit toujours par lasser (*Oraison*). La véhémence de leur amour n'a d'égale que celle de leur cruauté (*Fando et Lis*). Et leur cruauté de même que leur bonté sont un mystère tout comme les crimes dont ils sont accusés (*Le Labyrinthe*). De vrai pour Arrabal et Vian les hommes ne ressemblent pas à des enfants. Ce *sont* des enfants, ou, plus exactement, des marionnettes ayant un comportement d'enfant. Tour à tour clowns, bouffons et acrobates, ils ne cessent de se dédoubler. Se ressemblant comme des sosies, leur interchangeabilité devient un jeu qui permet à leurs auteurs de tourner en ridicule le rôle que la société leur assigne. Dans *Pique-nique en campagne* Zépo et Zapo, dépouillés de leur individualité par le décervelage des propagandes militaires, ne font qu'un. Dans *L'Equarrissage pour tous* soldats américains et allemands finissent par être identiques, malgré eux, malgré leurs chefs, la guerre et la couleur de leurs uniformes. Dans *La Cantatrice chauve* de Ionesco les Smith peuvent être mis à la place des Martin et vice versa parce qu'ils ont perdu leur singularité dans la banalité de leur confort matériel. Si cette interchangeabilité provoque le rire, son universalité n'en est que plus inquiétante. Elle trahit le caractère tragique de l'homme moderne asservi par l'intolérance des idéologies et des conformismes.

Les moyens par lesquels le théâtre de dérision parvient à nous montrer cette douloureuse image des hommes enfermés dans un monde incohérent sont empruntés à la farce plutôt qu'à la comédie sérieuse. Alors que celle-ci se conforme de trop près aux exigences du réalisme bourgeois, celle-là, par contre, offre plus de liberté de mouvement parce que, n'exigeant aucune discipline formelle, elle se prête à toutes les audaces. Grâce au geste et à la mimique des acteurs ainsi qu'à un comique verbal souvent féroce, elle vise tous les ridicules sans redresser, toutefois, les travers de la société par le truchement d'un dénouement moral. De plus, par son absence d'intrigue et de psychologie elle a le mérite de mettre en scène des types stylisés qui n'évoluent pas et qui incarnent des catégories sociales.

Ces mêmes traits l'avant-garde les adopte, mais en y apportant une modification capitale. Dans la farce traditionnelle la satire était dirigée contre toutes les classes sociales. Elle n'épargnait ni les paysans, ni les bourgeois, ni les nobles ce qui explique, dans son répertoire, cette pléthore d'avares, de pédants, de niais, d'avocats retors, de moines licencieux, de femmes acariâtres et de maris trompés. Dans l'avant-garde une transposition a lieu: la satire n'est plus limitée au contexte social, mais étendue à l'homme au sein de sa condition. Souhaitée par Artaud dans son *Théâtre et son double* et amorcée par Ghelderode dans *Hop Signor!*, *Escurial*, *Mademoiselle Jaïre* et *Fastes d'enfer*, cette innovation, doublée d'un comique d'irrévérence, confère ainsi aux marionnettes humaines de l'avant-garde contemporaine une dimension métaphysique dont elles étaient privées dans les vieilles farces du Moyen Age, de la Renaissance et du XVIIe siècle.

En même temps que le théâtre nouveau remonte à la farce pour trouver des modèles à ses personnages, il s'inspire des techniques du vaudeville du XIXe siècle pour créer l'atmosphère de fête et de carnaval qui règne dans certaines de ses pièces. L'on sait que les grands maîtres de ce genre ont été Scribe (*L'Ours et le Pacha*), Labiche (*Le*

Voyage de Monsieur Perrichon, La Station Champbaudet) et Feydeau (*La Dame de chez Maxim, Occupe-toi d'Amélie*). Le vaudeville, qui, à son origine, emportait l'idée d'une chanson gaie et bachique, est une comédie légère qui met l'accent sur les inventions drôlatiques, les quiproquos imprévus, les apartés, la gaieté du dialogue et les bouffonneries extravagantes. Il se distingue par le rythme accéléré des événements. Le vaudeville, étant à l'opposé du réalisme, recherche le dépaysement entre le spectateur et le spectacle. Cette espèce de distançiation s'obtient de deux manières: soit par l'exagération d'un personnage stéréotypé, soit par une intrigue habile dont la complexité tient le spectateur en haleine jusqu'au dénouement. Conçu comme un pur divertissement, le vaudeville exploite l'actualité et l'histoire pour en tirer uniquement des effets comiques. Ne voulant ni édifier ni imiter la réalité, ce genre va jusqu'à introduire dans le spectacle des couplets chantés qui, en coupant le dialogue, lui enlèvent inopinément sa signification.

Tant de fantaisie et de désinvolture à l'égard du sujet, des personnages et de la forme ne pouvaient manquer de plaire à l'auteur de *L'Equarrissage pour tous* dont le sous-titre, « vaudeville paramilitaire, » dévoile clairement les sources de son inspiration. Vian et avec lui Arrabal et Ionesco utilisent le vaudeville dans les mêmes intentions que lorsqu'ils ont recours à la farce. Grâce à un spectacle euphorique, essoufflant par la rapidité de son rythme, déréglé par la prolifération des objets, des actions et de l'automatisme du langage, ils transcendent le social et rejoignent la condition humaine.

Ainsi c'est par le renversement des genres, c'est-à-dire en substituant la comédie bouffonne à la tragédie, que les dramaturges du théâtre nouveau parviennent à nous rendre sensibles, par delà le quotidien et l'actualité, le tragique de l'existence et l'incohérence de l'univers. De cette façon Ionesco nous dépayse dans ce qui est le pays de tous les jours où rien n'a lieu et qui est l'illustration dramatique de nos propres angoisses ainsi que de notre ennui métaphysique. Beckett, Vian et Arrabal poussent cette aliénation de l'homme jusqu'au nihilisme. Leurs personnages s'enlisent dans les sables d'un *no man's land* ou disparaissent dans une fosse, à tout prendre pareils à un enfer qui ne serait pas tant infernal en soi-même par ses ténèbres ou sa puanteur, que par l'étouffante claustration, l'absence d'espoir, la répétition à l'infini des mêmes gestes quotidiens imposés à des damnés. Au sein de leur déchéance Beckett va jusqu'à les réduire à un état

larvaire. Et dans *Fin de partie*, sans ambages et d'un rire bref, il nie
à l'homme toute signification.[1]

Si l'homme n'est qu'un non-sens condamné à errer dans un
labyrinthe pour avoir commis un crime dont les mobiles échappent
à son entendement, il ne saurait être par conséquent ce « roseau pensant » capable de « découvrir la source et les fondements des
choses ».[2] C'est la conclusion à laquelle Vian aboutit dans *Les Bâtisseurs d'empire*. Cette pièce constitue en même temps qu'un réqui-
sitoire violent contre les mystifications de l'humanisme bourgeois,
fondé sur l'ordre et le bon sens, une satire mordante de la dialectique
pascalienne.

Dans la pensée d'un Pascal l'homme n'était ni ange ni bête.
Dans celle de Vian il est ravalé à un « bestiau velu ». Le premier
trouve la marque de sa grandeur et de sa dignité dans la pensée.
Le second découvre sa bassesse et sa cruauté dans sa façon ignoble
d'étouffer le sentiment de ses insuffisances en faisant d'autrui son
souffre-douleur. Enfin, alors que Pascal fonde la supériorité de
l'homme sur l'univers à partir du fait qu'*il sait* qu'il meurt, Vian, au
contraire, établit son infériorité sur cette absence de conscience et de
mémoire qui fait que ses personnages, en dernier lieu, ne se rendent
même pas compte que l'univers les écrase.

Un tel nihilisme comporte pour le théâtre nouveau d'aujourd'hui
un grave danger, car en rabaissant l'homme au niveau du règne animal, végétal et minéral il risque de condamner celui-ci au silence et,
par contrecoup, de s'enfermer dans une impasse sans issue. Consciente
de ce risque et sachant que le théâtre est le Verbe, l'avant-garde contemporaine, soucieuse d'assurer une continuité à son renouvellement,
s'efforce d'aller au-delà même de ce nihilisme. Les formules que ses
représentants proposent sont diverses et variées. Adamov depuis
Ping-pong qui date de 1954 essaie de réaliser la synthèse du théâtre
politique et psychologique en associant le fait-divers et l'événement
historique à la fatalité des sentiments. Arrabal dans *Le Cimetière des
voitures* et dans son théâtre « panique », sans rien sacrifier du caractère violent de son art, semble chercher à réaliser une correspon-
dance entre l'absurde et la bonté. Ionesco lui-même, qui passe pour un
des grands maîtres de la dérision, tempère le pessimisme inquiétant
d'œuvres telles que *Le Rhinocéros* et *Tueur sans gages* par le lyrisme

[1] Samuel Beckett, *Fin de partie* (Paris, Editions de Minuit, 1957), p. 49.
[2] Boris Vian, *Les Bâtisseurs d'empire* (Paris, L'Arche, 1959), pp. 80, 81, 87, 88.

du poète Bérenger. A la suite de Ghelderode, Pichette, Audiberti, Schehadé, Vauthier, Tardieu et Billetdoux prêtent à leur art un langage poétique dont le but est de nous suggérer l'inexprimable.

Ces expériences et ces recherches, toutefois, ne diminuent en rien la portée et la valeur du théâtre de dérision. En faisant exploser le langage, les notions de temps et d'espace, il révolutionne la dramaturgie. En s'imposant en tant qu'art de démystification, il fait éclater le mensonge de l'humanisme classique et moderne. Son originalité qui procède d'un renversement des données du problème de la réalité s'étend à la fois à la forme et au contenu.

Ainsi ce théâtre de dérision a su créer à partir de la parodie, de la farce et du vaudeville une anti-tragédie afin que le spectateur puisse emporter l'image, non pas tellement de la déchéance humaine, malgré ce que ses adversaires en pensent, que celle de l'homme dépouillé de ses masques, face à sa condition, luttant contre tous les conformismes de cautionnement et d'uniformité pour sauver sa singularité.

OUVRAGES A CONSULTER

Adamov, Arthur, *Ici et maintenant* (Paris, Gallimard, 1964).

Artaud, Antonin, *Le Théâtre et son double* (Paris, Gallimard, 1938).

Aslan, Odette, *L'Art du théâtre* (Paris, Seghers, 1963).

Beigdeber, Marc, *Le Théâtre en France depuis la libération* (Paris, Bordas, 1959).

Bentley, Eric, *The Playwright as Thinker* (New York, Harcourt, Brace, 1955).

Chiari, Joseph, *The Contemporary French Theatre* (New York, Macmillan, 1959).

Craig, Edward Gordon, *On the Art of the Theater* (New York, Theatre Art Books, 1957).

Dort, Bernard, «Sur une avant-garde: Adamov et quelques autres», *Théâtre d'aujourd'hui* (septembre–octobre 1957).

Dumur, Guy, «Les Poètes au théâtre», *Théâtre de France*, v. IV.

Esslin, Martin, *The Theatre of the Absurd* (New York, Doubleday, Anchor Book A 279, 1961).

Fergusson, Francis, *The Idea of a Theater* (Princeton, N.J., Princeton University Press, 1953).

Fowlie, Wallace, *Dionysus in Paris* (New York, Meridian Books, 1960).

Gouhier, Henri, *Le Théâtre et l'existence* (Paris, Aubier, 1952).

Gouhier, Henri, *L'Œuvre théâtrale* (Paris, Flammarion, 1958).

Grossvogel, David, *The Blasphemers* (Ithaca, N.Y., Cornell University Press, 1965).

Grossvogel, David, *The Self-Conscious Stage in Modern French Drama* (New York, Columbia University Press, 1958).

Guicharnaud, Jacques, *Modern French Theatre from Giraudoux to Beckett* (New Haven, Conn., Yale University Press, 1961).

Hobson, Harold, *The French Theatre of Today* (New York, Harrap, 1953).

Ionesco, Eugène, *Notes et contre-notes* (Paris, Gallimard, 1962).

Jouvet, Louis, *Réflexions du comédien* (Paris, Librairie Théâtrale, 1952).

Jouvet, Louis, *Témoignages sur le théâtre* (Paris, Flammarion, 1952).

Lalou, René, *Le Théâtre en France depuis 1900* (Paris, P.U.F., 1951).

Pronko, Leonard C., *Avant-Garde, The Experimental Theater in France* (Berkeley, Calif., University of California Press, 1962).

Pucciani, Oreste F., *The French Theater since 1930* (New York, Ginn, 1954).

Serreau, Geneviève, *Histoire du «nouveau théâtre»* (Paris, Gallimard, 1966).

Stanislavski, Constantin, *An Actor Prepares* (New York, Theatre Art Books, 1963).

Surer, Paul, *Le Théâtre français contemporain* (Paris, Société d'édition et d'enseignement supérieur, 1964).

Veinstein, André, *La Mise en scène théâtrale et sa condition esthétique* (Paris, Flammarion, 1955).

Vilar, Jean, *De la tradition théâtrale* (Paris, L'Arche, 1955).

Wellwarth, George, *The Theater of Protest and Paradox* (New York, New York University Press, 1964).

REVUES

Cahiers de la Compagnie Madeleine Renaud/Jean-Louis Barrault
Théâtre d'Aujourd'hui
Théâtre de France
Théâtre Populaire

PIQUE-NIQUE EN CAMPAGNE

de
FERNANDO ARRABAL

FERNANDO ARRABAL
(1932-   )

Né à Melilla, au Maroc espagnol, trois ans avant le début de la guerre civile, Arrabal grandit à l'ombre de la dictature militaire et, avant de s'installer à Paris en 1955, connut toutes les répressions d'un régime policier, l'écrasement total des libertés et le terrorisme. En même temps il éprouva l'angoisse d'être déchiré entre l'amour de son pays et la haine du système établi. Les expériences douloureuses de sa jeunesse devaient marquer toute son œuvre. Ainsi n'est-il pas étonnant de constater que l'on trouve un fort courant anti-militariste dans son premier roman, *Baal Babylone,* et dans toutes ses pièces, notamment dans les deux plaidoyers éloquents contre la guerre que sont *Guernica* (inspiré du fameux tableau de Picasso) et *Pique-nique en campagne.* Il reprend le même thème sur un autre ton dans *Les Deux Bourreaux* qui met en scène le supplice atroce et la mise à mort d'un anarchiste qui après avoir été dénoncé par sa propre femme se voit ensuite renié par ses deux fils. Cette haine du militaire s'étend à la police: les gendarmes qui arrêtent Climando et Apal dans *Le Tricycle,* et qui parlent une langue tout à fait incompréhensible, s'apparentent par leur férocité sadique et mécanique aux policiers qui peuplent les premiers drames d'Adamov. Et dans son deuxième roman, *L'Enterrement de la sardine,* l'auteur nous dépeint une vision apocalyptique d'une société corrompue et vouée à la destruction pour s'être donnée au totalitarisme. Malgré ce motif sous-jacent de pacifisme l'œuvre d'Arrabal est loin d'être celle d'un réformateur. Ce qui compte plutôt c'est le personnage arrabalien et l'univers très particulier qu'il habite. Les héros d'Arrabal sont presque tous des enfants sans âge qui agissent dans un monde d'où toute moralité est exclue. Tout en commettant les pires crimes, tel que l'infanticide dans *Oraison,* ils gardent intacte leur pureté pré-adamique. N'ayant aucune mémoire, ces personnages tendres et cruels reconstruisent constamment leur innocence par l'oubli. Dans ce domaine onirique, baigné d'érotisme et de sadisme, il n'y a aucun lien entre les causes et les conséquences, aucune logique pour rattacher l'acte à ses suites. Pourtant ce monde absurde ne semble exister qu'en fonction d'un autre ordre mystérieux. C'est ce qu'exprime clairement dans *Le Labyrinthe* (inspiré de Kafka) Micaela quand elle essaie de faire comprendre à Etienne, la victime de son père, que « ... les choses peuvent ici avoir l'apparence du désordre, ce qui ne fait que mettre en relief l'existence d'un ordre supérieur beaucoup plus complexe et exigeant que celui que nous pouvons imaginer ». L'existence de cet ordre supérieur explique le côté mystique de certaines pièces et de *La Pierre de la folie,* ce grand poème en prose (ou « livre panique » comme l'appelle son auteur), qui n'est pas sans rappeler *Une Saison en enfer* de Rimbaud. Dans le « drame mystique », *Oraison,* cet aspect transcendental se traduit par la musique âpre et douce de Louis Armstrong et par la simplicité de Fidio et Lilbé qui tentent d'être bons. Cette foi naïve s'exprime aussi à travers l'allégorie du *Cimetière des voitures,* version moderne de la passion du Christ représenté par le trompétiste Emanou. Pourtant il ne faut pas croire que les sources de l'inspiration d'Arrabal se limitent au christianisme. Dès ses premiers livres Arrabal s'est tourné vers des croyances plus primitives qui frôlent l'hérésie gnostique et la magie. Et dans ses dernières pièces le cauchemar de l'enfant-poète se transforme en cérémonial visionnaire. A partir de 1956 avec *Cérémonie dans un œuf* Arrabal va essayer de jeter les bases d'un « théâtre panique ». « Le panique prendra la route de l'imaginaire » avait-il dit dans *La Pierre de la folie,* et c'est la route que lui aussi veut désormais suivre. Il y parvient sans renoncer ni aux thèmes ni aux personnages de ses premières œuvres, mais en leur donnant un sens nouveau chargé d'une poésie mystique. De même l'action, qui auparavant n'avait pour fonction que de dévoiler l'absurdité foncière de l'existence, maintenant devient significative. Ainsi tout comme dans une de ses premières pièces, *Fando et Lis,* on retrouve dans *La Princesse,* créée à Paris en 1966, le thème central de l'amour tragique et irréalisable entre un homme grotesque et estropié qui veut à tout prix garder sa pureté, et une femme belle et sensuelle qui finit par se tuer pour lui. Tandis que dans la première pièce cette mort représente la conclusion absurde de l'amour impossible, dans celle-ci ce sacrifice devient l'apothéose d'une cérémonie onirique. Ainsi Arrabal réussit à surmonter ses propres hantises, lesquelles, transformées par le rite, deviennent les éléments fondamentaux d'une nouvelle mythologie.

Dans une interview avec Jean Chalon dans *Le Figaro Littéraire* Arrabal avait dit, « Je suis plutôt un homme-panique. Il faut prendre le mot panique dans le sens du mot grec, pan, qui veut dire *tout.* L'autre jour, j'ai lu dans un dictionnaire que Pan, au début, était un bouffon qui faisait rire, et qu'ensuite il faisait peur. Je voudrais bien être comme Pan. » C'est ce même pître-Dieu que cherche Cavanosa, le nain bossu du *Grand Cérémonial,* « quelqu'un qui se soucierait de créer mes rêves, de me rendre heureux grâce à des histoires plus ou moins paniques ». C'est d'avoir su trouver le secret de faire rire et de faire peur en recréant ses propres rêves qui valut à Arrabal le « Prix Lugné-Poë 1966 » et l'éloge d'André Pieyre de Mandiargues, qui disait de lui: « Telle puissance de choc, je connais peu de jeunes auteurs qui en aient la capacité et le goût autant qu'Arrabal. »

ŒUVRES D'ARRABAL

THEATRE

Théâtre I (*Oraison, Les Deux Bourreaux, Fando et Lis, Le Cimetière des voitures*) (Paris, Julliard, 1949)

Théâtre II (*Guernica, Le Labyrinthe, Le Tricycle, Pique-nique en campagne, La Bicyclette du condamné*) (Paris, Julliard, 1961)

Théâtre III, Théâtre panique (*Le Couronnement, Le Grand Cérémonial, Concert dans un œuf, Cérémonie pour un noir assassiné*) (Paris, Julliard, 1965)

ROMANS

Baal Babylone (Paris, Julliard, 1959)
L'Enterrement de la sardine (Paris, Julliard, 1960)

POESIE

La Pierre de la folie (Paris, Julliard, 1963)

OUVRAGE A CONSULTER

Serreau, G., « Un Nouveau Style comique », *Lettres Nouvelles,* v. VI, no. 2 (1958)

PIQUE-NIQUE EN CAMPAGNE

personnages

DECOR

UN CHAMP DE BATAILLE.

FILS DE FER BARBELES D'UN BOUT A L'AUTRE DE LA SCENE. TOUT PRES DES FILS, ON VOIT DES SACS DE SABLE.

---

[1] *The two main characters have clowns' names which underline the Chaplinesque humor of the entire play. Zapo and Zépo are also reminiscent of Gogo and Didi in Beckett's* En attendant Godot.

17

La bataille fait rage. On entend des coups de fusil, des
bombes éclatent, des mitrailleuses. Zapo est seul en scène,
à plat ventre, caché entre les sacs. Il a très peur. Le combat
cesse. Silence. Zapo sort d'un sac à ouvrage en toile une
pelote de laine, des aiguilles et il se met à tricoter un pull-
over déjà assez avancé.[2] Le téléphone de campagne, qui
se trouve à côté de lui, sonne tout à coup.

ZAPO.—Allo... Allo... à vos ordres, mon capitaine... Oui, je suis la sen-
tinelle du secteur 47... Rien de nouveau, mon capitaine...
Excusez-moi, mon capitaine, quand va-t-on reprendre le combat?... Et les grenades, qu'est-ce que j'en fais? Je dois les envoyer
en avant ou en arrière? Ne le prenez pas en mauvaise part,[3] je ne
disais pas ça pour vous ennuyer... Mon capitaine, je me sens
vraiment très seul, vous ne pourriez pas m'envoyer un camarade?... Ne serait-ce que la chèvre. (*Le capitaine sans doute le*
réprimande vertement) A vos ordres, à vos ordres, mon capitaine.[4] (*Zapo raccroche. On l'entend grommeler entre ses dents*)

Silence. Entrent M. et Mme Tépan qui portent des paniers
comme pour aller à un pique-nique. Ils s'adressent à leur
fils qui, le dos tourné, ne voit pas les arrivants.

M. TEPAN, *cérémonieusement.*—Mon fils, lève-toi et embrasse ta mère
sur le front. (*Zapo surpris se lève et embrasse sa mère sur le*
front avec beaucoup de respect. Il veut parler, son père lui
coupe la parole) Et maintenant, embrasse-moi.

ZAPO.—Mais, chers petit père et petite mère, comment avez-vous osé
venir jusqu'ici, dans un endroit aussi dangereux? Partez tout de
suite.

M. TEPAN.—Tu veux peut-être en remontrer à ton père en fait de[5]

---

[2] *The hero who knits is a favorite symbol of Arrabal's which serves to emphasize the androgynous nature of his characters. In Le Cimetière des voitures,
Emanou, the Christ-figure, also knits. This image is not as absurd as it may
seem. Hugo in "Le Rouet d'Omphale" (Les Contemplations) goes back to clas-
sical mythology in depicting Hercules, while a slave to the queen of Lydia,
spinning wool. The pathos of this image lies in the touching attempt of man
to do something constructive in the midst of destruction.*

[3] **ne le... part**   don't take it amiss

[4] *Zapo's style is a curious mixture of the military and the very childish.*

[5] **tu veux... en fait de**   you think you can tell your father anything about

guerre et de danger? Pour moi, tout ceci n'est qu'un jeu. Combien
de fois, sans aller plus loin, ai-je descendu du métro en marche.[6]

Mme TEPAN.—On a pensé que tu devais t'ennuyer, alors on est venu te
faire une petite visite. A la fin, cette guerre, ça doit être lassant.

ZAPO.—Ça dépend.

M. TEPAN.—Je sais très bien ce qui se passe. Au commencement, tout
noûveau tout beau.[7] On aime bien tuer et lancer des grenades et
porter un casque, ça fait chic, mais on finit par s'emmerder.[8] De
mon temps, tu en aurais vu bien d'autres.[9] Les guerres étaient
beaucoup plus mouvementées, plus hautes en couleur.[10] Et puis,
surtout, il y avait des chevaux, beaucoup de chevaux. C'était un
vrai plaisir: si le capitaine disait: « A l'attaque! »,[11] aussitôt,
nous étions tous là, à cheval, en uniforme rouge. Ça valait le
coup d'œil. Et après, c'était des charges au galop, l'épée à la
main, et tout à coup on se trouvait face à l'ennemi, qui lui aussi
se trouvait à la hauteur des circonstances, avec ses chevaux—il
y avait toujours des chevaux, des tas de chevaux, la croupe bien
ronde—et ses bottes vernies, et son uniforme vert.[12]

Mme TEPAN.—Mais non, l'uniforme ennemi n'était pas vert. Il était
bleu. Je me rappelle très bien qu'il était bleu.

M. TEPAN.—Je te dis qu'il était vert.

Mme TEPAN.—Combien de fois, quand j'étais petite, je me suis mise au
balcon pour regarder la bataille, et je disais au petit du voisin:

---

[6] **en marche** still running. *In some European cities it is possible to open the
doors of the subway before it has come to a complete stop and it is a favorite
(and hardly dangerous) sport to jump off while the train is still in motion.*
[7] **tout nouveau tout beau** *a very trite expression, the equivalent of* everybody
has a penny to spend at the new ale house. *Like so many of the new dramatists
Arrabal exploits clichés. In this respect one might well compare M. Tépan with
the Father in Vian's* Les Bâtisseurs d'empire.
[8] **on finit par s'emmerder** (*vulgar*) you wind up bored to death
[9] **de mon temps... d'autres** in my day you really would have seen something
[10] **plus hautes en couleurs** more colorful
[11] **A l'attaque!** Charge!
[12] *This passage is a bitter satire of the romantic vision of war of an older generation. It may be contrasted with the lyrical evocation of war in the third scene
of Genet's* Le Balcon.

« Je te parie une boule de gomme que ce sont les bleus qui gagnent. » Et les bleus c'étaient nos ennemis.[13]

M. Tepan.—C'est bon, à toi le pompon.[14]

Mme Tepan.—J'ai toujours aimé les batailles. Quand j'étais petite, je disais toujours que plus tard je voulais être colonel de dragons. Mais maman n'a pas voulu, tu sais comme elle est à cheval sur[15] les principes.

M. Tepan.—Ta mère est une vraie buse.[16]

Zapo.—Excusez-moi, il faut que vous partiez. On ne peut pas entrer à la guerre quand on n'est pas soldat.

M. Tepan.—Je m'en fous, on est ici pour pique-niquer avec toi à la campagne et profiter de notre dimanche.[17]

Mme Tepan.—J'ai même préparé un excellent repas. Du saucisson, des œufs durs, tu aimes tellement ça! des sandwiches au jambon, du vin rouge, de la salade et des gâteaux.

Zapo.—C'est bon, ça sera comme vous voulez. Mais si le capitaine vient, il va se mettre dans une de ces rognes.[18] Avec ça qu'il n'est pas très chaud pour[19] les visites au front. Il ne cesse de nous répéter: « A la guerre, il faut de la discipline et des grenades, mais pas de visites. »

M. Tepan.—Ne t'en fais pas,[20] je lui dirai deux mots à ton capitaine.

Zapo.—Et s'il faut reprendre le combat?

M. Tepan.—Est-ce que tu crois que ça me fait peur, j'en ai vu d'autres. Si encore c'était des batailles à cheval! Les temps ont changé,

---

[13] *One of the traits of Arrabal's characters is their lack of memory which gives them a childlike innocence. This is even more pronounced in some of his other plays such as La Bicyclette du condamné. It is equally evident in the works of Beckett and Vian.*

[14] **à toi le pompon** (*colloquial*)   you win

[15] **elle est à cheval sur** (*colloquial*)   she's a stickler for

[16] **buse** (*colloquial*)   blockhead

[17] *Another trait that Arrabal's childlike characters share with those of Vian is their egoism.*

[18] **il va... rognes** (*colloquial*)   he'll really get mad

[19] **il n'est pas très chaud pour** (*colloquial*)   he isn't very keen on

[20] **ne t'en fais pas** (*colloquial*)   don't fret

tu ne comprends pas ça (*Un temps*). On est venu à moto.[21] Personne ne nous a rien dit.

ZAPO.—Ils ont dû croire que vous serviez d'arbitres.[22]

M. TEPAN.—On a pourtant eu des ennuis pour avancer. Avec tous ces tanks et ces jeeps.

Mme TEPAN.—Et au moment d'arriver, tu te rappelles cet embouteillage à cause d'un canon?

M. TEPAN.—En période de guerre il faut s'attendre à tout, c'est bien connu.

Mme TEPAN.—C'est bon, on va commencer à manger.

M. TEPAN.—Tu as raison, je me sens un appétit d'ogre. C'est l'odeur de la poudre.

Mme TEPAN.—On va manger assis sur la couverture.

ZAPO.—Je vais manger avec mon fusil?

Mme TEPAN.—Laisse ton fusil tranquille. C'est mal élevé de tenir son fusil à table. (*Un temps.*) Mais tu es sale comme un goret, mon enfant. Comment as-tu pu te mettre dans cet état? Montre tes mains.

ZAPO, *honteux, les lui montre.*—J'ai dû me traîner par terre à cause des manœuvres.

Mme TEPAN.—Et tes oreilles?

ZAPO.—Je les ai lavées ce matin.

Mme TEPAN.—Enfin, ça peut passer. Et les dents? (*Il les montre*) Très bien. Qui est-ce qui va faire une grosse bise[23] à son petit garçon qui s'est bien lavé les dents? (*A son mari*) Eh bien, embrasse ton fils qui s'est bien lavé les dents. (*M. Tépan embrasse son fils*) Parce que tu sais, une chose que je ne peux pas admettre, c'est que, sous prétexte de faire la guerre, tu ne te laves pas.

---

[21] **on est venu à moto**   we came by motorcycle
[22] *War is constantly seen as a game, as it is in Vian's* Le Goûter des généraux.
[23] **faire une grosse bise** (*colloquial*)   to give a great big kiss

Zapo.—Oui maman. (*Ils mangent.*)

M. Tepan.—Alors, mon fils, tu as fait un beau carton?[24]

Zapo.—Quand?

M. Tepan.—Mais ces jours-ci.

5 Zapo.—Où?

M. Tepan.—En ce moment, puisque tu fais la guerre.

Zapo.—Non, pas grand-chose. Je n'ai pas fait un beau carton. Presque jamais mouche.[25]

M. Tepan.—Et qu'est-ce que tu as le mieux descendu: les chevaux
10 ennemis ou les soldats?

Zapo.—Non, pas de chevaux, il n'y a plus de chevaux.

M. Tepan.—Alors, des soldats?

Zapo.—Ça se peut.

M. Tepan.—Ça se peut? Tu n'en es pas sûr?

15 Zapo.—C'est que... je tire sans viser (*Un temps*), en récitant un *Notre Père*[26] pour le type[27] que j'ai descendu.

M. Tepan.—Il faut te montrer plus courageux. Comme ton père.

Mme Tepan.—Je vais passer un disque sur le phono.

Elle met un disque: un pasodoble.[28] Tous trois assis par
20 *terre écoutent.*
M. Tepan.—Ça c'est de la musique. Mais oui madame, ollé!

La musique continue. Entre un soldat ennemi: Zépo. Il est habillé comme Zapo. Il n'y a que la couleur qui change. Zépo est en vert et Zapo en gris.

25 *Zépo écoute bouche bée la musique. Il se trouve derrière la famille qui ne peut pas le voir. Le disque finit. Zapo en*

---

[24] **tu as fait un beau carton**   you made a good score
[25] **mouche**   bull's-eye
[26] **Notre Père**   *the Lord's Prayer*
[27] **type**   guy
[28] *The pasodoble is a Spanish dance.*

se levant découvre Zépo. Tous deux lèvent les mains en l'air. M. et Mme Tépan les regardent d'un air surpris.

M. Tepan.—Que se passe-t-il?

Zapo réagit, il hésite. Enfin, l'air décidé, il vise Zépo avec son fusil.

Zapo.—Haut les mains![29]

Zépo lève les bras encore plus haut, l'air encore plus terrifié. Zapo ne sait que faire. Tout à coup il se dirige rapidement vers Zépo et lui touche doucement l'épaule, en disant:

Zapo.—Chat![30] (*A son père, tout content*) Ça y est! Un prisonnier!

M. Tepan.—C'est bon, et maintenant, qu'est-ce que tu vas en faire?

Zapo.—Je ne sais pas, mais si ça se trouve on me nommera peut-être caporal.

M. Tepan.—En attendant, attache-le!

Zapo.—L'attacher? Pourquoi?

M. Tepan.—Un prisonnier, ça s'attache!

Zapo.—Comment?

M. Tepan.—Par les mains.

Mme Tepan.—Oui, c'est sûr, il faut lui attacher les mains. J'ai toujours vu faire comme ça.

Zapo.—Bon. (*Au prisonnier*) Joignez les mains, s'il vous plaît.

Zepo.—Ne me faites pas trop de mal.

Zapo.—Non.

Zepo.—Aïe! Vous me faites mal.

M. Tepan.—Allons, ne maltraite pas ton prisonnier.

Mme Tepan.—C'est comme ça que je t'ai élevé? Combien de fois t'ai-je répété qu'il faut être prévenant envers son prochain.

---

[29] **Haut les mains!**   Hands up!
[30] **Chat!**   Tag! *See note 22, p. 21.*

ZAPO.—Je ne l'ai pas fait exprès. (*A Zépo*) Et comme ça, vous avez mal?

ZEPO.—Non, comme ça, non.

M. TEPAN.—Mais dites-le franchement, en toute confiance ne vous gênez pas pour nous.

ZEPO.—Comme ça, ça va.

M. TEPAN.—Maintenant, les pieds.

ZAPO.—Les pieds aussi, on n'en finit pas!

M. TEPAN.—Mais on ne t'a pas appris les règles?

ZAPO.—Si.

M. TEPAN.—Eh bien!

ZAPO, *à Zépo, très poli.*—Voudriez-vous avoir l'obligeance de[31] vous asseoir par terre, s'il vous plaît?

ZEPO.—Oui, mais ne me faites pas de mal.

Mme TEPAN.—Tu vois, il va te prendre en grippe.[32]

ZAPO.—Mais non, mais non. Je ne vous fais pas mal?

ZEPO.—Non, c'est parfait.

ZAPO, *subitement.*—Papa, si tu prenais une photo avec le prisonnier par terre et moi, un pied sur son ventre?

M. TEPAN.—Tiens, oui, ça aura de l'allure.[33]

ZEPO.—Ah! non, ça non.

Mme TEPAN.—Dites oui, ne soyez pas têtu.

ZEPO.—Non. J'ai dit non et c'est non.

Mme TEPAN.—Mais c'est une petite photo de rien du tout, qu'est-ce que ça peut vous faire? Et on pourrait la mettre dans la salle à man-

---

[31] **voudriez-vous avoir l'obligeance de** (*very formal speech*) would you be kind enough to
[32] **il va... grippe** he'll get mad at you
[33] **ça aura de l'allure** that would be sharp

Courtesy Agence de Presse Bernand

ger, à côté du brevet de sauvetage[34] qu'a gagné mon mari il y a treize ans.

ZEPO.—Non, vous n'arriverez pas à me convaincre.

ZAPO.—Mais pourquoi refusez-vous?

5 ZEPO.—Je suis fiancé, moi. Et si elle voit un jour la photo, elle dira que je ne sais pas faire la guerre.

ZAPO.—Mais non, vous n'aurez qu'à dire que ce n'est pas vous, que c'est une panthère.[35]

Mme TEPAN.—Allez, dites oui.

10 ZEPO.—C'est bon. Mais c'est seulement pour vous faire plaisir.

ZAPO.—Allongez-vous complètement.

> *Zépo s'allonge tout à fait. Zapo pose un pied sur son ventre et saisit son fusil d'un air martial.*

Mme TEPAN.—Bombe davantage le torse.

15 ZAPO.—Comme ça?

Mme TEPAN.—Oui, comme ça, sans respirer.

M. TEPAN.—Prends l'air d'un héros.

ZAPO.—Comment ça, l'air d'un héros?

M. TEPAN.—C'est simple: prends l'air du boucher quand il racontait
20 ses bonnes fortunes.[36]

ZAPO.—Comme ça?

M. TEPAN.—Oui, comme ça.

Mme TEPAN.—Surtout, gonfle bien la poitrine et ne respire pas.

ZEPO.—Est-ce que ça va être bientôt fini?

25 M. TEPAN.—Un peu de patience. Un... deux... trois.

---

[34] **brevet de sauvetage** lifesaving certificate
[35] *This perfectly incongruous suggestion and the subsequent acquiescence of Zépo are characteristic of Arrabal's surrealistic humor.*
[36] **ses bonnes fortunes** (*colloquial*)   his amorous conquests

Zapo.—J'espère que je serai bien.

Mme Tepan.—Oui, tu avais l'air très martial.

M. Tepan.—Tu étais très bien.

Mme Tepan.—Ça me donne envie d'avoir une photo avec toi.

M. Tepan.—En voilà une bonne idée.   5

Zapo.—C'est bon. Si vous voulez, je vous la prends.

Mme Tepan.—Donne-moi ton casque pour que j'aie l'air d'un soldat.

Zepo.—Je ne veux pas d'autres photos. Une, c'est déjà beaucoup trop.

Zapo.—Ne le prenez pas comme ça. Au fond, qu'est-ce que ça peut
vous faire?   10

Zepo.—C'est mon dernier mot.

M. Tepan, *à sa femme.*—N'insistez pas, les prisonniers sont toujours
très susceptibles. Si on continue, il va se fâcher et nous gâcher la
fête.

Zapo.—Bon, alors qu'est-ce qu'on va en faire?   15

Mme Tepan.—On peut l'inviter à déjeuner. Qu'en penses-tu?

M. Tepan.—Je n'y vois aucun inconvénient.[37]

Zapo, *à Zépo.*—Alors, vous déjeunerez bien avec nous?

Zepo.—Euh...

M. Tepan.—On a apporté une bonne bouteille.   20

Zepo.—Alors, c'est d'accord.[38]

Mme Tepan.—Faites comme chez vous,[39] n'hésitez pas à réclamer.[40]

Zepo.—C'est bon.

M. Tepan.—Alors, et vous, vous avez fait un beau carton?

---

[37] **je n'y... inconvénient**   I don't see anything wrong with that
[38] **c'est d'accord**   it's yes
[39] **faites comme chez vous**   make yourself at home
[40] **réclamer**   to ask for seconds

Zepo.—Quand?

M. Tepan.—Mais, ces jours-ci...

Zepo.—Où?

M. Tepan.—En ce moment, puisque vous faites la guerre.

5   Zepo.—Non, pas grand-chose, je n'ai pas fait un beau carton, presque jamais mouche.

M. Tepan.—Et qu'est-ce que vous avez le mieux descendu? Les chevaux ennemis ou les soldats?

Zepo.—Non, pas de chevaux, il n'y a plus de chevaux.

10   M. Tepan.—Alors, des soldats?

Zepo.—Ça se peut.

M. Tepan.—Ça se peut? Vous n'en êtes pas sûr?

Zepo.—C'est que... Je tire sans viser (*Un temps*), en récitant un *Je vous salue Marie* pour le type que j'ai descendu.

15   Zapo.—Un *Je vous salue Marie?*[41] J'aurais cru que vous récitiez un *Notre Père*.

Zepo.—Non, toujours un *Je vous salue Marie*. (*Un temps*) C'est plus court.

M. Tepan.—Allons, mon vieux, il faut avoir du courage.

20   Mme Tepan, *à Zépo*.—Si vous voulez, on peut vous détacher.

Zepo.—Non, laissez, ça n'a pas d'importance.

M. Tepan.—Vous n'allez pas commencer à faire des manières[42] avec nous. Si vous voulez qu'on vous détache, dites-le.

Mme Tepan.—Mettez-vous à votre aise.[43]

25   Zepo.—Alors, si c'est comme ça, détachez-moi les pieds, mais c'est bien pour vous faire plaisir.

---

[41] **Je vous salue Marie**   Hail Mary
[42] **faire des manières**   put on airs
[43] **mettez-vous à votre aise**   make yourself comfortable

M. Tepan.—Zapo, détache-le. (*Zapo le détache.*)

Mme Tepan.—Alors, vous vous sentez mieux?

Zepo.—Oui, bien sûr. Si ça se trouve, je vous dérange vraiment.

M. Tepan.—Mais pas du tout, faites comme chez vous. Et si vous
voulez qu'on vous détache les mains, vous n'avez qu'à le dire.   5

Zepo.—Non, pas les mains, je ne veux pas abuser.

M. Tepan.—Mais non, mon vieux, mais non, puisque je vous dis que
ça ne nous dérange pas du tout.

Zepo.—Bon... Alors, détachez-moi les mains aussi. Mais pour déjeuner
seulement, hein? Je ne veux pas que vous pensiez qu'on m'en   10
donne grand comme le petit doigt et que j'en prends long comme
le bras.[44]

M. Tepan.—Petit, détache-lui les mains.

Mme Tepan.—Eh bien, puisque monsieur le prisonnier est si sympathique on va passer une excellente journée à la campagne.   15

Zepo.—Ne m'appelez pas monsieur le prisonnier. Dites prisonnier tout
court.[45]

Mme Tepan.—Ça ne va pas vous gêner?

Zepo.—Mais non, pas du tout.

M. Tepan.—Eh bien, on peut dire que vous êtes modeste.   20

    Bruit d'avions.

Zapo.—Les avions. Ils vont sûrement nous bombarder.

    Zapo et Zépo se jettent sur les sacs et se cachent.

Zapo, *à ses parents.*—Mettez-vous à l'abri. Les bombes vont vous
tomber dessus.   25

    *Le bruit des avions domine tous les autres. Aussitôt les
bombes commencent à tomber. Les obus tombent tout
près de la scène mais ne l'atteignent pas. Vacarme assour-*

---

[44] **qu'on m'en... le bras**   that you give me an inch and I take a mile
[45] **monsieur le prisonnier**   *a much more formal expression than* **prisonnier**

*dissant. Zapo et Zépo sont blottis entre les sacs. M. Tépan
parle calmement à sa femme qui lui répond du même ton
tranquille. On n'entend pas le dialogue à cause du bombardement. Mme Tépan se dirige vers l'un des paniers. Elle
en sort un parapluie. Elle l'ouvre. Le ménage Tépan
s'abrite sous le parapluie comme s'il pleuvait. Ils sont
debout. Ils se dandinent d'un pied sur l'autre en cadence
et parlent de leurs affaires personnelles. Le bombardement continue. Les avions s'éloignent enfin. Silence.
M. Tépan étend un bras hors du parapluie pour s'assurer
qu'il ne tombe plus rien du ciel.*

M. TEPAN, *à sa femme.*—Tu peux fermer ton parapluie.

*Mme Tépan s'exécute. Tous deux s'approchent de leur fils
et lui donnent quelques coups légers sur le derrière avec
le parapluie.*

M. TEPAN.—Allez, sortez. Le bombardement est fini.

Zapo et Zépo sortent de leur cachette.

ZAPO.—Vous n'avez rien eu?

M. TEPAN.—Qu'est-ce que tu voulais qu'il arrive à ton père? (*Avec
fierté*) Des petites bombes comme ça? Laisse-moi rire!

*Entre à gauche un couple de soldats de la Croix rouge.
Ils portent une civière.*

PREMIER INFIRMIER.—Il y a des morts?

ZAPO.—Non, personne par ici.

PREMIER INFIRMIER.—Vous êtes sûrs d'avoir bien regardé?

ZAPO.—Sûr.

PREMIER INFIRMIER.—Et il n'y a pas un seul mort?

ZAPO.—Puisque je vous dis que non.

PREMIER INFIRMIER.—Même pas un blessé?

ZAPO.—Même pas.

DEUXIEME INFIRMIER, *au premier.*—Eh bien, nous voilà frais![46] (*A*

---

[46] **nous voilà frais** (*colloquial*)   what a mess we're in

Zépo d'un ton persuasif) Regardez bien par-ci, par-là, si vous ne trouvez pas un macchabée.[47]

PREMIER INFIRMIER.—N'insiste pas, ils t'ont bien dit qu'il n'y en a pas.

DEUXIEME INFIRMIER.—Quelle vacherie![48]

ZAPO.—Je suis désolé. Je vous assure que je ne l'ai pas fait exprès.

DEUXIEME INFIRMIER.—C'est ce que dit tout le monde. Qu'il n'y a pas de morts et qu'on ne l'a pas fait exprès.

PREMIER INFIRMIER.—Laisse donc monsieur tranquille!

M. TEPAN, *serviable.*—Si nous pouvons vous aider ce sera avec plaisir. A votre service.

DEUXIEME INFIRMIER.—Eh bien voilà, si on continue comme ça je ne sais pas ce que le capitaine va nous dire.

M. TEPAN.—Mais de quoi s'agit-il?

PREMIER INFIRMIER.—Tout simplement que les autres ont mal aux poignets à force de transporter des cadavres et des blessés, et que nous n'avons encore rien trouvé. Et ce n'est pas faute d'avoir cherché!

M. TEPAN.—Ah! oui, c'est vraiment ennuyeux! (*A Zapo*) Tu es bien sûr qu'il n'y a pas de morts?

ZAPO.—Evidemment, papa.

M. TEPAN.—Tu as bien regardé sous les sacs?

ZAPO.—Oui, papa.

M. TEPAN, *en colère.*—Alors, dis-le tout de suite que tu ne veux rien faire pour aider ces messieurs qui sont si gentils!

PREMIER INFIRMIER.—Ne l'attrapez[49] pas comme ça! Laissez-le. Il faut espérer qu'on aura plus de chance dans une tranchée, qu'ils seront tous morts.

M. TEPAN.—J'en serais ravi.

---

[47] **macchabée** (*medical slang*)   corpse
[48] **Quelle vacherie!**   What a lousy trick!
[49] **attrapez** (*colloquial*)   scold

Mme TEPAN.—Moi aussi. Il n'y a rien qui me fasse autant plaisir que les gens qui prennent leur métier à cœur.

M. TEPAN, *indigné, à la cantonade.*—Alors, on ne va rien faire pour ces messieurs?

5   ZAPO.—Si ça ne dépendait que de moi, ce serait déjà fait.

ZEPO.—Je peux en dire autant.

M. TEPAN.—Mais, voyons, aucun de vous n'est seulement blessé?

ZAPO, *honteux.*—Non, moi, non.

M. TEPAN, *à Zépo.*—Et vous?

10   ZEPO, *honteux.*—Moi non plus. Je n'ai jamais eu de veine![50]

Mme TEPAN, *contente.*—Ça me revient! Ce matin en épluchant des oignons je me suis coupé le doigt. Ça vous va?

M. TEPAN.—Mais bien sûr! (*Enthousiaste*) Ils vont te transporter immédiatement!

15   PREMIER INFIRMIER.—Non, ça ne marche pas. Avec les dames, ça ne marche pas.

M. TEPAN.—Nous ne sommes pas plus avancés.

PREMIER INFIRMIER.—Ça ne fait rien.

DEUXIEME INFIRMIER.—On va peut-être se refaire[51] dans les autres
20   tranchées.

Ils se remettent en marche.

M. TEPAN.—Ne vous en faites pas![52] Si nous trouvons un mort nous vous le gardons! Pas de danger qu'on le donne à quelqu'un d'autre!

25   DEUXIEME INFIRMIER.—Merci beaucoup, monsieur.

M. TEPAN.—De rien, mon vieux, c'est la moindre des choses.

Les infirmiers leur disent au revoir. Tous les quatre leur répondent. Les infirmiers sortent.

---

[50] **veine** (*colloquial*)   luck
[51] **on va... refaire**   perhaps we can recoup
[52] **Ne vous en faites pas!** (*colloquial*)   Don't worry!

Mᵐᵉ Tepan.—C'est ça qui est agréable quand on passe un dimanche à la campagne. On rencontre toujours des gens sympathiques. (*Un temps*) Mais pourquoi est-ce que vous êtes ennemi?

Zepo.—Je ne sais pas, je n'ai pas beaucoup d'instruction.

Mᵐᵉ Tepan.—Est-ce que c'est de naissance ou est-ce que vous êtes   5
devenu ennemi par la suite?

Zepo.—Je ne sais pas, je n'en sais rien.

M. Tepan.—Alors, comment est-ce que vous êtes venu à la guerre?

Zepo.—Un jour, à la maison, j'étais en train d'arranger le fer à repasser
de ma mère et il est venu un monsieur qui m'a dit: « C'est vous   10
Zépo?—Oui.—Bon, il faut que tu viennes à la guerre. » Alors moi
je lui ai demandé: « Mais à quelle guerre? » et il m'a dit: « Tu ne
lis donc pas les journaux? Quel péquenot! »[53] Je lui ai répondu
que si, mais pas les histoires de guerre...

Zapo.—Comme moi, exactement comme moi.   15

M. Tepan.—Oui, ils sont venus te chercher aussi.

Mᵐᵉ Tepan.—Non, ce n'est pas pareil, ce jour-là tu n'étais pas en train
d'arranger un fer à repasser, tu réparais la voiture.

M. Tepan.—Je parlais du reste. (*A Zépo*) Continuez: après, qu'est-ce
qu'il s'est passé?   20

Zepo.—Alors je lui ai dit que j'avais une fiancée et que si je ne l'em-
menais pas au cinéma le dimanche, elle allait s'embêter. Il m'a
dit que ça n'avait aucune importance.

Zapo.—Comme à moi, exactement comme à moi.

Zepo.—Alors mon père est descendu et il a dit que je ne pouvais pas   25
aller à la guerre parce que je n'avais pas de cheval.

Zapo.—Comme mon père a dit.

Zepo.—Le monsieur a répondu qu'on n'avait plus besoin de cheval et
je lui ai demandé si je pouvais emmener ma fiancée. Il a dit non.
Alors, si je pouvais emmener ma tante pour qu'elle me fasse de   30
la crème le jeudi; j'aime bien ça.

---

[53] **Quel péquenot!**   What a bumpkin!

Mme TEPAN, *s'apercevant qu'elle l'a oubliée.*—Oh! la crème!

ZEPO.—Il m'a encore dit non.

ZAPO.—Comme à moi.

ZEPO.—Et depuis ce temps-là, me voilà presque toujours seul dans la
5   tranchée.

Mme TEPAN.—Je crois que toi et monsieur le prisonnier, puisque vous
êtes si près l'un de l'autre et que vous vous ennuyez tellement,
vous pourriez jouer l'après-midi ensemble.

ZAPO.—Ah! non, maman, j'ai trop peur, c'est un ennemi.

10   M. TEPAN.—Allons, n'aie pas peur.

ZAPO.—Si tu savais ce que le général a raconté sur les ennemis!

Mme TEPAN.—Qu'est-ce qu'il a dit?

ZAPO.—Il a dit que les ennemis sont des gens très méchants. Quand
ils font des prisonniers, ils leur mettent des petits cailloux dans
15   les chaussures pour qu'ils aient mal en marchant.

Mme TEPAN.—Quelle horreur! Quels sauvages!

M. TEPAN, *à Zépo, indigné.*—Et vous n'avez pas honte de faire partie
d'une armée de criminels?

ZEPO.—Je n'ai rien fait, moi. Je ne suis mal[54] avec personne.

20   Mme TEPAN.—Il voulait nous avoir avec ses airs de petit saint![55]

M. TEPAN.—On n'aurait pas dû le détacher. Si ça se trouve, il suffira
qu'on ait le dos tourné pour qu'il nous mette un caillou dans nos
chaussures.

ZEPO.—Ne soyez pas si méchants avec moi.

25   M. TEPAN.—Mais comment voulez-vous qu'on soit? Je suis indigné.
Je sais ce que je vais faire: je vais aller trouver le capitaine et lui
demander qu'il me laisse faire la guerre.

---

[54] **je ne suis mal**   I'm not on bad terms
[55] **il voulait… petit saint**   he wanted to fool us with his holier-than-thou looks.
*Another typical trait of Arrabal's characters is that, like children, they lack
stability and move easily from affection to hatred and back to affection with no
transition.*

ZAPO.—Il n'acceptera pas: tu es trop vieux.

M. TEPAN.—Alors je m'achèterai un cheval et une épée et je viendrai faire la guerre à mon compte.

Mme TEPAN.—Bravo! Si j'étais un homme je ferais pareil.

ZEPO.—Madame, ne me traitez pas comme ça. D'ailleurs, je vais vous   5
dire: notre général nous a dit la même chose sur vous.

Mme TEPAN.—Comment a-t-il osé faire un mensonge pareil?

ZAPO.—Mais, vraiment, la même chose?

ZEPO.—Oui, la même chose.

M. TEPAN.—C'est peut-être le même qui vous a parlé à tous les deux.   10

Mme TEPAN.—Mais si c'est le même, il pourrait au moins changer de discours. En voilà une façon de dire la même chose à tout le monde.

M. TEPAN, *à Zépo, changeant de ton.*—Encore un petit verre?

Mme TEPAN.—J'espère que notre déjeuner vous a plu?   15

M. TEPAN.—En tout cas, c'était mieux que dimanche dernier!

ZEPO.—Que s'est-il passé?

M. TEPAN.—Eh bien, on est allé à la campagne et on a posé les provisions sur la couverture. Pendant qu'on avait le dos tourné une vache a mangé tout le déjeuner, et même les serviettes.   20

ZEPO.—Quel goinfre,[56] cette vache!

M. TEPAN.—Oui, mais après, pour compenser, on a mangé la vache. (*Ils rient*)

ZAPO, *à Zépo.*—Ils ne devaient plus avoir faim!

M. TEPAN.—A la vôtre![57] (*Tous boivent*)   25

Mme TEPAN, *à Zépo.*—Et dans la tranchée, qu'est-ce vous faites pour vous distraire?

---

[56] **goinfre**   greedy pig
[57] **A la vôtre!**   Cheers!

ZEPO.—Pour me distraire, je passe mon temps à faire des fleurs en chiffon. Je m'embête beaucoup.

Mme TEPAN.—Et qu'est-ce que vous faites de ces fleurs?

ZEPO.—Au début, je les envoyais à ma fiancée, mais un jour elle m'a dit que la serre et la cave en étaient déjà remplies, qu'elle ne savait plus quoi en faire et que, si ça ne me dérangeait pas, je lui envoie autre chose.

Mme TEPAN.—Et qu'est-ce que vous avez fait?

ZEPO.—J'ai essayé d'apprendre à faire autre chose mais je n'ai pas pu. Alors je continue à faire des fleurs en chiffon pour passer le temps.

Mme TEPAN.—Et après, vous les jetez?

ZEPO.—Non, maintenant j'ai trouvé le moyen de les utiliser: je donne une fleur pour chaque copain qui meurt. Comme ça je sais que même si j'en fais beaucoup il n'y en aura jamais assez.

M. TEPAN.—Vous avez trouvé une bonne solution.

ZEPO, *timide*.—Oui.

ZAPO.—Eh bien, moi, je fais du tricot, pour ne pas m'ennuyer.

Mme TEPAN.—Mais, dites-moi, est-ce que tous les soldats s'embêtent comme vous?

ZEPO.—Ça dépend de ce qu'ils font pour se distraire.

ZAPO.—De ce côté-ci, c'est la même chose.

M. TEPAN.—Alors, arrêtons la guerre.

ZEPO.—Et comment?

M. TEPAN.—Très simple: toi tu dis à tes copains que les ennemis ne veulent pas faire la guerre, et vous, vous dites la même chose à vos collègues. Et tout le monde rentre chez soi.

ZAPO.—Formidable!

Mme TEPAN.—Comme ça vous pourrez finir d'arranger le fer à repasser.

ZAPO.—Comment se fait-il qu'on n'ait pas eu plus tôt cette bonne idée?

Mme TEPAN.—Seul, ton père peut avoir de ces idées-là: n'oublie pas qu'il est ancien élève de l'école normale,[58] et philatéliste.[59]

ZEPO.—Mais que feront les maréchaux et les caporaux?

M. TEPAN.—On leur donnera des guitares et des castagnettes pour être tranquilles!   5

ZEPO.—Très bonne idée.

M. TEPAN.—Vous voyez comme c'est facile. Tout est arrangé.[60]

ZEPO.—On aura un succès fou.

ZAPO.—Mes copains vont être rudement[61] contents.

Mme TEPAN.—Qu'est-ce que vous diriez si on mettait le pasodoble de   10
tout à l'heure pour fêter ça?

ZEPO.—Parfait!

ZAPO.—Oui, mets le disque, maman.

> Mme Tépan met un disque. Elle tourne la manivelle. Elle
> attend. On n'entend rien.   15

M. TEPAN.—On n'entend rien.

Mme TEPAN, elle se rapproche du phono.—Ah! je me suis trompée! Au lieu de mettre un disque j'avais mis un béret.

> Elle met le disque. On entend un joyeux pasodoble. Zapo
> danse avec Zépo et Mme Tépan avec son mari. Ils sont tous   20
> très joyeux.[62] On entend le téléphone de campagne. Aucun
> des quatre personnages ne l'entend. Ils continuent, très

---

[58] **école normale** *a highly reputed and very selective educational institution whose alumni form the intellectual elite of France*
[59] *another example of humor achieved through incongruity*
[60] *The naive simplicity of this solution and the obvious impossibility of its implementation give this play a place apart in the history of pacifist literature. It would be interesting to determine what position this play occupies in the long and distinguished tradition of antiwar theatre, from Euripides's* The Trojan Women *and Aristophanes's* Lysistrata *to Giraudoux's* La Guerre de Troie n'aura pas lieu.
[61] **rudement** (*colloquial*) awfully
[62] *The feast in the midst of horror and destruction is the central image of this play and of the entire theatre of Arrabal.*

affairés, à danser. Le téléphone sonne encore une fois.
La danse continue. Le combat reprend avec grand fracas
de bombes, de coups de feu, et de crépitements de mitrail-
lettes. Tous les quatre n'ont rien vu et ils continuent à
danser joyeusement. Une rafale de mitraillette les fauche
tous les quatre. Ils tombent à terre, raides morts. Une
balle a dû érafler le phono: le disque répète toujours la
même chose comme un disque rayé. On entend la musique
du disque rayé jusqu'à la fin de la pièce. Entrent à gauche
les deux infirmiers. Ils portent la civière vide. Immédiate-
ment,

RIDEAU

Madrid, 1952.

questions

1. Par quels moyens Arrabal réussit-il à créer son univers insolite?
2. Quelle est l'importance dramatique et symbolique des deux infirmiers?
3. Quelle est l'actualité de cette pièce?
4. Dans quelle mesure est-ce que cette pièce dépasse les bornes d'un
simple plaidoyer en faveur du pacifisme?

LES BATISSEURS D'EMPIRE

de
BORIS VIAN

Courtesy Agence de Presse Bernand

BORIS VIAN
(1920-1959)

Par sa fugacité, la personnalité attachante de Boris Vian est presque impossible à définir. Trompette amateur dans un orchestre de jazz, il avait joué à la Libération pour les troupes américaines. Noctambule des caves existentialistes et des boîtes de nuit de Saint-Tropez, il avait été l'un des premiers à les mettre à la mode dans les années tumultueuses de l'après-guerre. De son vivant le « gentil » Vian s'était acquis par sa verve, ses mystifications et son entrain le renom d'amuseur public. A sa mort, en dehors du cercle de ses amis les plus intimes, l'image floue qu'il laissait de lui suggérait celle de cette « jeunesse d'après-guerre », désinvolte, volage, avide de plaisirs et « pervertie » par l'existentialisme sartrien.

Si ce portrait du « prince » de Saint-Germain-des-Prés comporte une part de vérité, on aurait tort, néanmoins, de s'arrêter à de telles apparences. Derrière le visage bienveillant de ce « bison ravi », selon l'anagramme pittoresque qu'il s'était forgée, il faut voir un homme débordant d'activité malgré sa santé fragile, menant de front plusieurs existences, les unes plus troublantes et passionnantes que les

autres. Le « Promoteur Insigne de l'Ordre de la Grande Gidouille »
du Collège de Pataphysique, le cruel Baron Visi de *Trouble dans les
Andains*, Adolphe Schmürz, journaliste, et Vernon Sullivan, l'auteur
poursuivi en justice pour avoir écrit plusieurs romans porno-
graphiques, sont parmi les *alter ego* qui côtoient le chansonnier connu
pour son anti-militarisme et pourtant responsable de la version fran-
çaise des *Mémoires* du général Omar Bradley. Ingénieur diplômé,
musicien et historien de jazz, figurant de cinéma, bricoleur et amateur
de voitures, spécialiste de science-fiction, moraliste qui travailla
pendant des années à un *Traité de civisme*, auteur de plusieurs ballets
et de quatre opéras, romancier, poète et dramaturge, les « vies parallèles » de Boris Vian sont innombrables et leur multiplicité ne s'explique que par sa propre boutade: « On est toujours déguisé, alors
autant se déguiser; de cette façon on n'est plus déguisé. » Mais tous
ses déguisements n'empêchent pas de laisser transparaître deux
thèmes qui dominent sa vie et son œuvre: le désespoir de l'homme
traqué par la nécessité de gagner sa vie, et l'angoisse de l'être constamment menacé par la mort. Car dès son adolescence une insuffi-
sance coronaire s'était déclarée qui devait emporter à l'âge de 39 ans
le poète de *Je voudrais pas crever*. Mais au cours de cette vie si
courte une aisance créatrice extraordinaire lui permit d'écrire une
œuvre aussi impressionnante par sa diversité que par son étendue, et
dont une grande partie reste encore inédite. Une telle facilité a ses
dangers. Ainsi on est forcé de se demander ce qui restera de ses trois
cents chansons, de ses centaines de poèmes, de ses quinze traductions,
de ses chroniques, nouvelles et essais, de ses dix romans et de ses
six pièces. Sans aucun doute une pièce, *Les Bâtisseurs d'empire*, et
ses romans « sérieux », c'est-à-dire ceux parus de son vivant et qu'il
avait signés de son propre nom, assureront sa refutation. Dès
L'Ecume des jours il réussit à créer un univers particulier qui sera
celui de tous les romans suivants, où une fantaisie charmante s'allie
à une profonde tristesse, où l'innocence enfantine est sans cesse mise
en péril par les exigences de la réalité. Les fantoches qui peuplent
ce monde imaginaire ont une légèreté irréelle qui les apparente à cette
famille de Pierrot qu'avait créée Watteau et que Paul Verlaine et
Jules Laforgue avaient adoptée. Et la même nostalgie romantique
d'une pureté irréalisable et d'un bonheur impossible à atteindre les
unit tous dans un « paysage choisi ». Ce qui empêche ces tendres
récits de tomber dans un sentimentalisme fade, c'est un esprit

comique qui, tout en s'inspirant de l'humour de Céline et de Queneau, produit de véritables feux d'artifice verbaux. Le comique de Vian dépasse le niveau de « la politesse du désespoir » pour devenir l'élément constructeur d'un univers poétique.

Au premier abord le théâtre de Vian paraît moins riche et sans rapport avec son œuvre romanesque. Les quelques fragments publiés de deux pièces inédites, *Tête de Méduse*, un drame boulevardier, et *Série blême*, une tragédie en argot et en alexandrins, ne sont guère prometteurs. Quant à la version scénique du roman à scandale *J'irai cracher sur vos tombes*, également inédite, il semble que l'auteur n'ait pas pu résoudre le dilemme posé par son essai de tirer d'un roman type « série noire » un drame qui traite sérieusement du problème racial. *L'Equarrissage pour tous*, un vaudeville anarchiste, est, dans son genre, une réussite incontestable. Avec un humour féroce Vian dénonce le militarisme et l'égoïsme humain en faisant de la bataille d'Arromanches le prétexte qui permet à un équarrisseur de réunir les siens en conseil de famille. Ainsi le débarquement des Alliés en Normandie, qui devait changer le sort de l'Europe, devient une simple occasion de régler des démêlés familiaux. Dans une ambiance de festival en liesse cette famille de marionnettes finit par rejoindre la masse des victimes de l'absurdité de la guerre. Dans la saynète que l'on n'a jamais osé jouer par crainte du scandale, *Le dernier des métiers*, l'auteur se tourne avec autant de hargne contre le clergé, en asssimilant un prédicateur, le Père Saureilles, à une vedette de music-hall. Ce même anti-cléricalisme se retrouve dans le personnage de l'onctueux Monseigneur Tapecul du *Goûter des généraux*, pièce dans laquelle militaires, hommes politiques et ecclésiastiques sont tous montrés comme de grands enfants irresponsables qui à la fin se tuent en jouant à la roulette russe. Toutes ces pièces ont un défaut: trop lié à l'actualité, leur humour risque de devenir vite périmé, voire incompréhensible. Au fond il s'agit de spectacles-cabaret plutôt que de véritable théâtre. Il est d'autant plus étonnant qu'avec sa dernière pièce, écrite en quelques jours, Vian ait pu créer un drame émouvant qui dépasse de loin tout ce qu'il avait fait auparavant. Car avec *Les Bâtisseurs d'empire* il a réussi à surmonter ses propres hantises en les traduisant en des termes universels et à donner aux problèmes du jour une portée plus large. Par sa langue et par son humour ainsi que par sa cruauté *Les Bâtisseurs d'empire* appartient au théâtre de l'absurde. Par sa vision personnelle et sa mythologie insolite qui lui donnent son caractère profondément original, c'est une pièce qui ne pouvait appartenir qu'à ce personnage fuyant et insaisissable que l'on entrevoit sous les divers masques de Boris Vian.

ŒUVRES DE VIAN

THEATRE

Le Dernier des métiers (Paris, Pauvert, 1965)
Théâtre (*Les Bâtisseurs d'empire, Le Goûter des généraux* et *L'Equarrissage pour tous*) (Paris, Pauvert, 1965)

ROMANS

Vercoquin et le plancton (Paris, Gallimard, 1946)
L'Ecume des jours (Paris, Gallimard, 1947)
L'Automne à Pékin (Paris, Editions du Scorpion, 1947)
L'Herbe rouge (Paris, Toutain, 1950)
L'Arrache-cœur (Paris, Vrille, 1953)

OUVRAGES A CONSULTER

Arnaud, N., *Les Vies parallèles de Boris Vian,* numéro spécial de *Bizarre,* No. 39–40 (février, 1966)
Baudin, H., *Boris Vian; la poursuite de la vie totale* (Paris, Editions du Centurion, 1966)
Noakes, D., *Boris Vian* (Paris, Editions Universitaires, 1964)

LES BATISSEURS D'EMPIRE
ou LE SCHMÜRZ

personnages

LE PERE
LE SCHMÜRZ
LE VOISIN
LA MERE
ZENOBIE
CRUCHE

UN

La scène se passe dans une pièce sans particularités, bour-
geoisement meublée, avec un buffet Henri II[1] au fond,
une table de salle à manger et des chaises, le tout dans un
coin, des fenêtres fermées, des portes qui mènent partout
où il faut et dans le coin où il n'y a pas de table, l'arrivée
d'un escalier censé partir d'une pièce supposée au-dessous,
et qui enchaîne sur un escalier censé mener à une pièce
qui serait au-dessus. La scène est vide de gens, même
quand le rideau n'est pas levé, et elle le reste quand on le
lève. De l'escalier, montant d'en bas, viennent d'abord des
voix.

Voix du Pere, *pressant.*—Allons, Anna, dépêche-toi... plus que cinq
marches. (*On entend trébucher, puis un cri.*) Je t'avais dit de ne
pas mettre la main là où je mets mes pieds, Zénobie... vous êtes
indisciplinés, c'est votre faute...

Voix de Zenobie, *qui râle.[2]*—Pourquoi c'est toujours toi qui passes le
premier, aussi?

Voix du Pere, *terrifiée.*—Tais-toi...

On entend, venu du dehors, un bruit à faire peur, dont la
nature reste à préciser. Un bruit grave roulant surmonté
de battements aigres.[3]

Voix de Zenobie, *calme.*—J'ai peur...

---

[1] **Henri II**   *a late Renaissance style, simpler and more sober than earlier fur-*
niture
[2] **râle** (*colloquial*)   is mad
[3] *The symbolic significance of this sound becomes a little clearer during the*
course of the play. While various interpretations are possible, in general it repre-
sents the menace that forces all men to flee constantly. More specifically, it might
stand for the menace of inevitable death. This reading becomes more plausible
when we recall the heart condition with which Vian lived.

VOIX DU PERE.—Vite... un dernier effort!...

> *Il apparaît dans la pièce, muni d'une boîte à outils et de*
> *planches. Il s'affale, se relève et regarde autour de lui.*
> *Pendant ce temps-là, le reste de la famille émerge:*
> *Zénobie, la fille, qui a seize ou dix-sept ans. Anna, la mère,*   5
> *trente-neuf, quarante ans. Le père lui-même est un quin-*
> *quagénaire[4] barbu. Il y a encore la bonne qui se nomme*
> *Cruche,[5] et tout ce monde porte des tas de paquets, valises.*
> *Il y a déjà, dans un coin, le schmürz.[6] Il est tout enveloppé*
> *de bandages et vêtu de loques. Il a un bras en écharpe et*   10
> *tient une canne de l'autre. Il boite, saigne et il est laid à*
> *voir. Il se tasse dans un coin.*

PERE.—On y est presque, les enfants.[7] Un ultime sursaut.

> *Le bruit se fait entendre à nouveau dans la rue, c'est-à-dire*
> *par-delà les fenêtres. Zénobie renifle.*   15

MERE.—Ma chérie, voyons...

> *Elle va la caresser, mais le père l'arrête.*

PERE.—Anna! Vite un coup de main. C'est le plus urgent. (*Il se*
précipite à l'escalier dont il commence à barrer la volée descen-
dante avec des planches; elle court l'aider, et, au passage,   20
aperçoit le schmürz, s'immobilise, lui lance un mauvais regard
et hausse les épaules.) Tiens la planche, je cherche un clou. (*Il*
fouille dans sa boîte à outils et trouve un clou.) En réalité, je
devrais mettre des vis, mais ça pose des tas de problèmes.

MERE.—Comment ça?   25

---

[4] **quinquagénaire**   *a man in his fifties*
[5] **cruche**   *a derogatory expression used to designate a stupid, ignorant person*
[6] **schmürz**   *a neologism that brings to mind two German words,* **Schmutz,**
meaning filth, *and* **Schmerz,** *meaning* suffering. *Above all it is a being that exists*
in and for itself, a physical manifestation that, as the play progresses, assumes an
ever more dominant reality. At the same time, like the sound, the schmürz *is an*
open symbol that has been interpreted in a multitude of ways, many of them
contradictory. In general, one might say that he is all that is ugly and grotesque
in life.
[7] **on y est... enfants**   *almost there, kids. A humorous effect is achieved by the*
father's style, a striking combination of the very familiar and the very pompous.

PERE.—D'abord, je n'ai pas de vis. Ensuite, je n'ai pas de tournevis. Troisièmement, je ne sais jamais de quel côté on tourne pour visser.

MERE.—Comme ça...

5   *Elle lui montre à l'envers.*

PERE.—Non, c'est comme ça.[8]

    Il lui montre dans le bon sens[9]— Le bruit s'enfle dans la rue, Zénobie hurle, furieuse.

ZENOBIE.—Allons, dépêche-toi!

10 PERE.—Où ai-je la tête... et toi qui me fais bavarder.

    Il cloue.

MERE.—Comment, je te fais bavarder?

PERE.—Ne nous disputons pas, ma chérie. (*Il se jette sur elle et l'embrasse violemment.*) Ah, là, là, ce que tu m'inspires...[10]

15   *Il se remet à sa planche.*

ZENOBIE.—J'ai faim.

MERE.—Cruche, donnez à manger à la petite.

    Pendant ce temps-là, la bonne s'est affairée à tout ranger, évitant soigneusement d'approcher le schmürz.

20 CRUCHE.—Oui, madame. (*A Zénobie:*) Veux-tu des œufs, du lait, du gratin,[11] du porridge, du chocolat, du café, des tartines, de la confiture d'abricots, du raisin, des fruits, des légumes?[12]

---

[8] *This is an absurd argument at a moment of danger when there is no time to waste. This situation, typical of the theatre of the absurd, has many contemporary allusions.*

[9] **dans le bon sens**   in the right direction

[10] *The father's crude utilization of sex to keep his wife quiet and to "inspire" himself shows to what extent love has been degraded.*

[11] **gratin**   *the burnt portion of food adhering to the bottom of the pan. It might also mean a combination of bread crumbs and cheese with which one tops certain dishes.*

[12] *Cruche's style is characterized by an almost dizzying accumulation of words. This is an old literary technique exploited for comic effect ever since the* **fabliaux** *of the Middle Ages. Among French writers Rabelais and Molière are the most successful exponents of this form of humor.*

ZENOBIE.—Non, je veux manger.

CRUCHE.—Bon. (*Elle lui tend un paquet de biscuits.*) Alors, mange, puisque tu ne veux rien.

> *Elle repasse devant le schmürz et s'en écarte visiblement. Le père repose son marteau, se relève.* 5

PERE.—Ouf!... Ça y est... On va pouvoir se détendre un peu.

> *Il s'étire.*

MERE.—Le cuir ne sera pas cher cette année.

PERE.—Comment dis-tu?

MERE.—Je dis que le cuir ne sera pas cher cette année. Les veaux 10 s'étirent.[13] C'est un vieux proverbe normand. Tu devrais le savoir.

PERE.—Pourquoi, je devrais le savoir?

MERE.—Tu ne te rappelles pas que tu étais équarrisseur[14] en Normandie? Jadis? Auparavant? 15

PERE.—Non... ça m'a échappé.[15]

MERE.—A Arromanches...[16]

PERE.—Ah? Tiens. (*Il se gratte la barbe.*) C'est très singulier. (*Il va vers le schmürz et, à toute volée, le gifle, puis il revient, toujours pensif.*) Ce que tu dis là me stupéfie. 20

---

[13] *A word play: above* s'étirer *means* to stretch oneself; *here it means* slick themselves. *In the treatment of leather, the skin of a calf has to be slicked or rendered smooth by a scraping process. There is, of course, no such Norman proverb. The conversation proceeds not by logic but by word and thought associations. The father stretches; this evokes* étirer, *a term used in tannery, which in turn evokes Normandy where the father was engaged formerly in a profession related to tannery.*

[14] équarrisseur *knacker, one who buys old and sick horses and slaughters them for their hides and hooves. This profession is the central image in another of Vian's plays,* L'Equarrissage pour tous.

[15] *This is the first of many examples of the father's defective memory. See p. 20, note 13.*

[16] Arromanches *a small fishing port that became famous in military history as the site of the Allied landing in Normandy in World War II. It is also the scene of* L'Equarrissage pour tous.

MÈRE.—Pourquoi?

PÈRE.—Cela me stupéfie, voilà tout. J'ai complètement oublié. (*Il frappe dans ses mains.*) Alors, Cruche, ce rangement? Ça se termine? (*Il inspecte autour de lui.*) C'est gentil, ici.

5   *La mère va au schmürz et le frappe à coups de pied.*[17]

ZÉNOBIE, *qui regarde le buffet.*—C'est affreux.

PÈRE.—Comment? Tu n'es pas contente?

ZÉNOBIE.—Combien de temps est-ce que ça va continuer? Combien de fois est-ce qu'on va être obligés de se précipiter comme ça,
10   dans la nuit, en laissant la moitié des choses derrière nous, tous les coins qu'on connaît, le soleil, les arbres...

PÈRE.—Mais écoute, on a encore de la chance... regarde cet escalier...

MÈRE.—Oh, il n'a rien d'extraordinaire, ça, la petite a raison.

PÈRE.—Je prétends qu'il n'est pas mal. Un escalier comme ça, même
15   en pleine obscurité, on peut le grimper...

       Il essaie en se lançant vivement, puis redescend.

MÈRE.—Il est moins bien que le précédent.

PÈRE.—Il doit être tout pareil.

       Il s'époussette les mains.

20 ZÉNOBIE.—Mais comment peux-tu être d'aussi mauvaise foi?[18] En bas, j'avais ma chambre...

PÈRE.—Comment? En bas, on avait trois pièces, comme ici. Tu couchais dans le studio.

ZÉNOBIE.—Mais non, je ne parle pas d'hier... Je veux dire, en bas, bien
25   avant...

[17] *The parents constantly beat the* **schmürz**, *which indicates that he also represents a sort of scapegoat.*

[18] *Vian was a good friend of Sartre, who had published his very first works in Les Temps Modernes, and he satirized Sartre in the novel L'Ecume des jours under the name of Jean-Sol Partre. In view of his familiarity with existentialism, it seems likely that Vian here is making reference to Sartre's* **homme de mauvaise foi**. *In their attempts to make the best of a bad situation by refusing to see it, both parents demonstrate their hypocrisy, their* **bad faith.***

PERE, *à la mère*.—Elle avait sa chambre?

MERE.—Je ne me rappelle pas très bien. (*A Zénobie:*) Tu avais ta chambre?

ZENOBIE.—Oui,[19] j'avais ma chambre; à côté de la vôtre, en face du petit salon.

MERE.—Comment, du petit salon?

ZENOBIE.—Le petit salon, avec les fauteuils rouge foncé et la glace de Venise,[20] et les jolis rideaux en soie rouge. Le tapis rouge et le lustre doré.

MERE.—Zénobie, tu es sûre de ce que tu dis?

ZENOBIE.—Oui, je suis sûre de ce que je dis.

PERE.—Moi, je ne me souviens pas de ça... Par conséquent, comment toi, une enfant...

ZENOBIE.—C'est bien pour ça; c'est les jeunes qui se souviennent. Les vieux, ils oublient tout.

PERE.—Zénobie, respecte tes parents.

ZENOBIE.—Il y avait six pièces.

MERE.—Six pièces! Eh bien! Quel entretien!

ZENOBIE.—Et Cruche avait sa chambre aussi! et il n'était pas là!

PERE.—Qui ça, n'était pas là?

ZENOBIE.—Lui!

> *Du doigt, elle désigne le schmürz, immobile. Il y a un très long silence.*

MERE, *attentive*.—Zénobie, ma petite fille, de qui parles-tu?

PERE.—Zénobie, tu devrais te reposer.

> *Entre temps, Cruche est sortie côté jardin. Le père et la mère s'approchent de Zénobie.*

---

[19] *Zénobie is the only member of the family who can recall the past clearly. It is their lack of memory which makes it possible for the parents to accept the present, while Zénobie cannot reconcile herself to the steadily deteriorating situation that she sees in its relationship to a much better past.*

[20] **glace de Venise** Venetian mirrors, *a symbol of luxurious living*

MERE.—Tu vois bien qu'il n'y a personne.[21] (*Elle s'approche du schmürz et lui tape dessus.*) Tu vois bien.

Elle halète.

ZENOBIE *perd pied.*—On avait six pièces... on y était seuls... des arbres devant les fenêtres.

PERE *hausse les épaules.*—Des arbres! (*Il s'approche du schmürz, tape dessus.*) Des arbres...

Il s'essuie les mains.

ZENOBIE.—Des cabinets tout blancs...

Cruche rentre.

CRUCHE.—Monsieur...

PERE.—Quoi, encore?

CRUCHE.—Il n'y a que deux pièces, ici, alors où est-ce que je vais coucher?

PERE.—Eh bien... nous allons nous mettre à côté, ma femme, ma fille et moi... et vous, vous dormirez ici...

CRUCHE, *décisive et froide.*—Non...

PERE *rit, gêné.*—Non... elle dit non, voilà... eh bien, heu...

MERE, *au père.*—Tu vas lui faire une cloison. (*A Cruche, dure:*) Est-ce que vous allez vous décider, au moins?

CRUCHE *hausse les épaules.*—Si monsieur me fait une cloison... (*Elle va au schmürz et tape dessus sans conviction.*) Avec une cloison, je veux bien dormir ici...

Elle rehausse les épaules et repasse dans la seconde pièce en emportant quelque ustensile.—Un silence.

---

[21] *Although they constantly mistreat the* schmürz, *the parents refuse to acknowledge his presence. Obviously the* schmürz *must also represent a truth so awful that its very existence must be denied. This is another example of the bad faith of the parents.*

ZENOBIE.—Tu vois... Il n'y a que deux pièces. J'en étais sûre.

Le père s'est assis, il a l'air, pour la première fois, un peu déconcerté.

PERE.—Deux pièces... ce n'est pas si mal... il y a des gens qui vivent dans moins grand que ça...   5

ZENOBIE, *effrayée.*—Mais enfin, pourquoi... pourquoi...

MERE.—Pourquoi quoi?

ZENOBIE.—Pourquoi est-ce qu'on s'en va chaque fois qu'on entend ce bruit? (*Le père et la mère ont rentré le cou dans les épaules.*[22]) Qu'est-ce que c'est, ce bruit? Dis-le-moi! Dis-le-moi, maman...   10

MERE.—Zénobie, mon petit ange, on t'a répété cent fois de ne pas demander ça.

PERE, *évasif.*—On ne le sait pas, ce que c'est. Si on le savait, on te le dirait.

ZENOBIE.—Mais tu sais tout, d'habitude.   15

PERE.—D'habitude, oui. Mais justement c'est une circonstance exceptionnelle. Et puis les choses que je sais, c'est plutôt les choses qui ont une importance réelle, pas les mirages.

ZENOBIE.—Ce bruit, ça n'a pas une importance réelle, alors?

PERE.—Au fond, non.   20

MERE.—C'est une image.

PERE.—Un symbole.

MERE.—Un repère.

PERE.—Un avertissement. Mais il ne faut pas confondre l'image, le signal, le symbole, le repère et l'avertissement avec la chose elle- 25
même. Ce serait une grave erreur.[23]

MERE.—Une confusion.

---

[22] **ont rentré... épaules**   tried to make themselves small
[23] *By means of hollow abstractions the father actually does confuse the issue and thus avoids coming to terms with the real problem that Zénobie raises.*

Pere.—Toi, ne te mêle pas de la discussion. Après tout, cette petite est ta fille.[24]

Zenobie.—Mais si ça n'a pas d'importance réelle, pourquoi on s'en va?

Pere.—C'est plus prudent.

5 Zenobie.—C'est plus prudent, même si on finit par quitter un appartement de six pièces où on était seuls pour arriver à deux.

Elle regarde le schmürz.

Pere.—La prudence avant tout.

Il va au schmürz, lui crache dessus, et revient.

10 Zenobie.—J'avais ma chambre, un pick-up,[25] des disques, je n'ai plus rien et il faut tout recommencer à zéro.[26]

Pere.—A zéro! Ecoute, il y a ici un buffet Henri II plus qu'honorable.

Mere.—Tu n'es vraiment pas à plaindre. Songe aux autres.

Zenobie.—Quels autres?

15 Mere.—Il y en a de plus malheureux que toi.[27]

Pere.—Que nous. (*Satisfait:*) Hé, oui. Deux pièces, par le temps qui court...[28]

Mere *déclame:*

Où court-il, d'où vient-il, qu'importe...
20   Il chemine de porte en porte.[29]

Elle s'interrompt:

C'est pas ça...

---

[24] *a non sequitur, of which there are many in the father's speeches*
[25] **pick-up**   turntable
[26] **recommencer à zéro**   to start again from scratch
[27] *a classic argument used with children*
[28] **par le temps qui court**   the way things are today
[29] *These two verses have the rhythm and vocabulary of a folk song, but they are probably of Vian's own invention. He did write literally hundreds of popular songs, a few of which are to be found in the collection* Textes et chansons (*Julliard, 1966*).

PERE.—Ça commençait bien, pourquoi tu ne continues pas?

MERE.—La lassitude...

PERE.—Moi, je suis très content de cet escalier. (*Il y va, le frappe du plat de la main.*) C'est du chêne.

MERE.—C'est du hêtre façon chêne.   5

PERE.—Du hêtre... non. Du sapin si tu veux, mais ce n'est pas du hêtre. C'est un bois trop... euh... le hêtre, je veux dire.[30]

MERE.—Où est la cuisine?

PERE *désigne une porte.*—Ça doit être par là.

ZENOBIE *reprend comme une mélopée vague.*[31]—En bas, j'avais ma   10
chambre, elle était bleue, comme pour un garçon; au milieu, un petit bureau, dans le tiroir de droite mon album de photos de vedettes, en-dessous, mes cahiers de classe et mes livres sur l'étagère; et puis par la fenêtre, je voyais les arbres verts, le soleil passait toujours, c'était des années avec douze mois de mai, des   15
mois de mai avec trente-et-un dimanches, des dimanches qui sentaient la cire fraîche et le bonbon anglais, et sur mon lit, une courtepointe de dentelle, elle était fausse mais très jolie, on la faisait tremper dans de l'eau avec du thé pour lui donner la couleur du pain beige. Le dimanche soir, je dansais.   20

MERE.—Chérie, à ton âge, on ne vit pas avec ses souvenirs.

> *Elle vaque. Le père a ouvert toutes les portes, les placards, le buffet, donnant de temps à autre un horion au schmürz.*

PERE.—Ah! Voici la porte palière, ainsi nommée parce qu'elle donne sur[32] le palier.   25

ZENOBIE.—Et elle donne quoi?

---

[30] *The father's mind often wanders and he loses track of his argument.*
[31] **mélopée vague** an ill-defined chant *or* sing-song, *often used by fretful children. But for Zénobie this chant is more significant. It is as if, through the power of rhythmic incantation, she were trying to maintain, in the face of the parents' denial, the reality of the lost past. This is a device which Audiberti also employs frequently, especially in* Quoat-Quoat.
[32] **donne sur** opens onto

PERE.—Zénobie, ne prends pas tout au pied de la lettre,[33] tu me donnes le vertige.

ZENOBIE *murmure.*—Au pied de la lettre.

Elle hausse les épaules.

5   PERE.—Zénobie, tu devrais faire tes devoirs. (*Le père est sorti sur le palier, on le voit scruter la porte de l'appartement vis-à-vis. Il rentre tandis que Zénobie traîne distraitement.*) Le voisin a l'air d'un homme comme il faut.[34]

MERE.—Tu l'as vu?

10   PERE.—Non, j'ai vu sa carte.

MERE.—La carte[35] n'est pas le territoire. Tu me l'as répété assez souvent.

PERE.—Il est conseiller.

MERE.—Cela peut être utile.

15   *Cruche rentre.*

CRUCHE.—Qu'est-ce que je fais pour le déjeuner?

ZENOBIE.—Pour le déjeuner ou pour nous?

CRUCHE.—Qu'est-ce que je fais cuire?

MERE.—On pourrait manger froid.

20   ZENOBIE.—Manger qui?

PERE.—Manger quoi?

---

[33] **au pied de la lettre** literally. *One of the sources of humor in this play, as in so many avant-garde plays, is the literal interpretation of idiomatic expressions. This, of course, is a traditional device, which a writer like Feydeau had brilliantly exploited long before Ionesco, Obaldia, and Vian. But whereas with earlier writers it was employed strictly for humorous effect, with the new dramatists it also becomes a means of emphasizing the inadequacy of language and the impossibility of communication.*

[34] **un homme comme il faut** a proper sort of person

[35] *This is a word play on* **carte** *meaning* calling card *and* map. *The expression sounds very much like a folk adage.*

CRUCHE.—Du veau, du potage, des radis, de la semoule, du turbot,[36] des carottes ou des quenelles? Ou alors de l'anguille, du salami, du fricandeau, de la tête de porc vinaigrette,[37] ou des moules?

MERE.—D'abord, qu'est-ce qui reste?

CRUCHE.—Des nouilles.   5

PERE.—Je ne veux pas de nouilles. Tout de même, après une nuit comme celle-là...

MERE.—Faites des nouilles, puisqu'il n'y a pas autre chose.

CRUCHE.—C'est pas la peine[38] d'en faire puisqu'il y en a.[39]

MERE.—Alors faites-les cuire.   10

CRUCHE.—Bon.

    Elle sort vers la cuisine.

PERE.—Je me demande quel genre de conseils il peut donner.

MERE.—Qui?

    Elle va frapper le schmürz.   15

PERE *tombe dans un fauteuil et allume sa pipe.*—Le voisin.

MERE.—Ah, le conseiller.

ZENOBIE.—Maman, je peux faire marcher la radio?

MERE, *au père.*—Est-ce qu'elle peut faire marcher la radio?

PERE.—La radio... (*Il se gratte la tête.*) Où est-elle? Je l'avais emballée   20
dans la couverture à carreaux. C'est toi qui l'as prise?

MERE.—Non... moi, j'avais la vieille valise noire, le sac de linge et les
provisions.

---

[36] **turbot**   *a kind of fish belonging to the flounder family*
[37] **tête... vinaigrette**   pig's head with a vinaigrette sauce; *a not unusual dish in France*
[38] **c'est pas la peine**   it's hardly worthwhile. *The dropping of the* ne *is very common in popular speech.*
[39] *Cruche is as literal minded as Zénobie.*

PERE.—Moi, j'avais le panier d'osier, la boîte à outils, les planches...
(*Il appelle.*) Cruche! Cruche!

> *Entre Cruche.*

MERE.—Nous ne trouvons pas la radio. Qu'est-ce que vous portiez
quand nous sommes arrivés?

CRUCHE.—La grande lampe, la vaisselle, le tableau du cousin, la malle
de fer, le casier à bouteilles, le garde-manger, la boîte à chaussures, l'aspirateur, et mes affaires...

PERE.—Et naturellement, vous avez oublié la couverture jaune.

CRUCHE.—Personne ne m'avait dit de la prendre.

> *Elle va frapper le schmürz. La mère hoche la tête.*

PERE.—Eh bien, nous nous passerons de radio.

MERE.—D'ailleurs, nous ne l'écoutons jamais. (*Zénobie sort.*) La
petite est fâchée.

PERE.—Pourquoi?

MERE.—Je ne sais pas.

> *Un silence.*

PERE.—Je vais aller faire une visite au voisin.

MERE.—C'est ça, vas-y, ça t'occupera.

> *Elle prend un ouvrage tandis que le père ouvre la porte*
> *et la laisse ouverte. On le voit frapper à la porte en face.*
> *Qui s'ouvre. Il entre et la porte se referme. Silence.*
> *Zénobie revient.*

ZENOBIE, *menaçante.*—Et qu'est-ce qui va se passer, maintenant?

MERE, *cousant.*—Ton père s'occupe de ça.

ZENOBIE.—Ça va être comme avant, juste un peu moins bien. On va
vivre un peu moins bien, on refera les mêmes gestes, un peu
moins vifs, les mêmes travaux, un peu moins soigneusement.
Les nuits passeront, les jours seront pareils aux nuits et tout
d'un coup, on entendra le bruit, on montera l'escalier, on oubliera

quelque chose... et on n'aura plus qu'une seule pièce... avec déjà quelqu'un.

MERE, *affectueuse.*—Tais-toi, mon petit, tu déraisonnes.[40]

ZENOBIE.—Mais *moi*, là-dedans, qu'est-ce que je deviens?

MERE.—Je te dis que ton père s'occupe de ça. Il y a des quantités de   5
solutions possibles.

ZENOBIE.—Tu reconnais donc que c'est un problème?

MERE.—Zénobie, tu m'irrites. Les enfants ne posent des problèmes à leurs parents que dans la mesure où ces derniers les reconnaissent comme tels.   10

ZENOBIE.—Reconnaissent quoi? Les enfants ou les problèmes?

MERE.—Nous n'avons aucun problème,[41] Dieu merci. (*Elle se lève et larde sauvagement le schmürz de coups de ciseau.*) Je ne vois pas ce qui peut te tourmenter.

Le père revient, accompagné du voisin.   15

PERE.—Que je vous présente ma petite famille. Anna, ma femme... Zénobie, ma fille.

LE VOISIN.—Madame!

Il s'incline.

PERE.—Monsieur Garet...   20

ZENOBIE.—On le connaît depuis longtemps. (*Un silence.*) Il habitait déjà en face de chez nous quand j'avais ma chambre avec mes disques.

PERE *s'éclaircit la voix.*—Hum... Eh bien, je n'ai pas besoin de vous faire visiter l'appartement, puisque le vôtre est symétrique.[42]   25

ZENOBIE.—Et ensuite, quand on est montés d'un étage, c'était encore lui qui vivait sur le même palier...

---

[40] *Of course, Zénobie is the only one who is speaking sensibly.*
[41] *The mother has now completely confused the issue and can thus deny the very existence of a problem.*
[42] *This is a malapropism. The father means to say* **pareil**.

Pere *parle fort.*—Ce buffet, vous le voyez ne le cède en rien[43] au vôtre...

> *Le voisin regarde le schmürz.*

Le voisin, *mi-voix.*—Il est tout à fait pareil au nôtre.[44]

5   Pere, *même jeu.*—N'est-ce pas... moi je trouve qu'ils se ressemblent tous...

> *Le voisin donne un coup de pied au schmürz.*

Zenobie.—Et ensuite, quand on est encore montés d'un étage, il a fait la même chose que nous.[45]

10 Le voisin.—Cette petite a une mémoire!

Pere, *flatté.*—Qu'en dites-vous?

Le voisin.—Oui, les enfants sont étonnants, de nos jours.

Pere, *intrigué.*—Qu'est-ce que vous entendez exactement par là?

Le voisin.—Eh bien, autrefois, n'est-ce pas, ils étaient assez différents.

15 Mere, *convaincue.*—Vous avez bien raison.

Zenobie.—Autrefois, ils étaient différents de quoi? C'est vous qui étiez des enfants, autrefois; alors? comment voulez-vous comparer?

Le voisin, *au père.*—Vous avez là une fille qui réfléchit beaucoup, c'est
20   visible.

Pere *se lance dans une explication.*—N'est-ce pas, Zénobie, tu dois comprendre qu'une comparaison peut prendre place dans le temps.

Zenobie.—Mais *qui* compare, à ce moment-là? Tu ne peux pas, toi,
25   comparer maintenant, avec ta mentalité idiote, l'enfant que tu étais autrefois avec la jeune fille que je suis en ce moment.

Pere.—Zénobie, tu vas trop loin.

---

[43] ne le cède en rien   is just as good as
[44] *Is the neighbor speaking of the cupboard or the* schmürz?
[45] *Zénobie is not taking part in the conversation but just continuing her previous statement. The characters in this play often seem to be talking past each other rather than communicating.*

LE VOISIN.—Votre fille a néanmoins mis le doigt sur quelque chose. C'est le problème de l'observateur impartial.[46]

ZENOBIE.—Ça n'existe pas.

LE VOISIN *s'installe.*—Je serais curieux de connaître votre point de vue.

ZENOBIE.—Si il observe, il n'est pas impartial; il a déjà un désir, celui   5
d'observer. Ou alors il observe distraitement. Et ce n'est plus un bon observateur.

PERE.—Il peut... heu... il peut être impartial par construction.

Il va frapper le schmürz et revient.

ZENOBIE.—Et qui l'aurait construit?   10

LE VOISIN.—Son éducation peut être telle qu'il est doué d'impartialité.

ZENOBIE.—Quelle éducation? Celle que lui donnent ses parents? (*Elle renifle, méprisante.*) Et qui jugera s'il a reçu une éducation impartiale? Ses parents partiaux? Ou partiels?[47]

PERE *éclate.*—C'est insupportable. Veux-tu te taire, à la fin.   15

ZENOBIE, *très calme.*—Je me tais.

*Elle se tait. Silence. Le voisin tambourine sur ses genoux,
la mère va frapper le schmürz qui se colle des sparadraps.[48]
Elle lui en arrache un et s'en dégage avec peine.*

LE VOISIN.—Votre fille est charmante.   20

PERE, *soulagé.*—Là... nous y arrivons... c'est exactement par là que vous auriez dû commencer. Ça me facilite les choses. Je continue.[49] (*Mondain:*) Votre fils lui-même, que j'entrevis[50] au passage, me semble un solide gaillard![51]

---

[46] *a classic philosophical problem with which Sartre has dealt at length*
[47] *A word play:* **partial** *means* partial *in the sense of* biased *and* **partiel** *means* partial *in the sense of* insufficient. *The whole preceding argument is a parody of philosophical discussion.*
[48] **sparadraps** bandaids
[49] *The father is relieved to escape from a difficult discussion into a role that he has played often before.*
[50] *His use of the literary past perfect tense is affected.*
[51] **un solide gaillard** a strapping young man

ZÉNOBIE.—Tu vas recommencer à essayer de me faire jouer avec son fils? Je ne suis plus d'âge.

PÈRE, *dur*.—Assez! (*Au voisin:*) Il doit être difficile à manier, l'animal! Ha! Ha!

5   LE VOISIN.—C'est qu'il va sur ses dix-huit ans...

ZÉNOBIE.—Il y va comment? A pied, à cheval ou en patins à roulettes?[52]

MÈRE, *au voisin*.—Vous devriez nous l'amener, ce serait une fête pour la petite.

10 ZÉNOBIE.—Si Xavier a envie de me voir, il n'a pas besoin que son père l'amène.

> *Chaque fois qu'elle parle personne ne l'écoute.*

LE VOISIN.—Eh bien, je vous remercie de cette aimable invitation, Xavier sera ravi de connaître une compagne comme Zénobie.

15 PÈRE, *à la mère*.—Qu'est-ce que je dis, maintenant, en principe?

MÈRE.—Attends... elle n'est plus tout à fait aussi jeune que la dernière fois. Je crois qu'il faut...

> *Elle lui murmure quelque chose à l'oreille. Le voisin s'est levé et retourne méchamment un des bras du schmürz,*
20 > *puis revient se rasseoir.*

PÈRE.—Tu as raison.

MÈRE.—Toute l'intrigue en dépend.

PÈRE, *au voisin*.—Sur quel plan nous plaçons-nous?

LE VOISIN.—A leur âge, il me semble que...

25 MÈRE, *pressante, au père*.—Naturellement, Léon. L'amour...

PÈRE.—Bon. (*Il se lève et annonce:*) Profession de foi.

ZÉNOBIE.—Ah, là là...

> *Elle se lève, passe et sort côté cuisine.*

---

[52] *See p. 56, note 33.*

MÈRE, *au voisin.*—Elle est bien élevée, n'est-ce pas. Une discrétion!

LE VOISIN.—Je la trouve charmante. Mon fils est un heureux gaillard.

PÈRE.—Minute! (*Il reprend:*) Profession de foi! (*Un temps.*) Je ne
suis pas un de ces personnages tyranniques comme la nature et
les livres en montrent si souvent, aux dépens de la culture
mondiale et des progrès de la véritable civilisation.[53]

> *Il s'essuie le front.*

MÈRE, *mi-voix.*—Léon, tu n'es jamais si bien parti.[54]

> *Le père lui fait signe de se taire et enchaîne. Le voisin
> écoute dans une pose avantageuse; il prend le cendrier
> et le jette à la tête du schmürz.*

PÈRE.—D'ailleurs, si ce n'était que de moi, il y a longtemps que les
fausses valeurs auraient disparu au profit de ces valeurs beaucoup plus sûres que sont la morale, les idées en marche, l'avance-
ment des sciences physiques, l'éclairage des rues et la mise au
pilon[55] des résidus pourris d'une démagogie toujours plus croulante, à l'instar... heu... à l'instar des grands bâtisseurs de jadis
qui fondaient leurs travaux sur le sens du devoir et de la chose
commune...[56]

LE VOISIN.—Est-ce que vous ne perdez pas un peu le fil?

MÈRE, *au voisin.*—Oui... Je ne sais pas s'il va exactement là où il faut.

PÈRE, *ton naturel.*—C'est embêtant, j'ai la même impression. Je crois
que les mots m'entraînent.

MÈRE.—Souviens-toi qu'il s'agit de ta fille et de son fils.

LE VOISIN.—Il ne saurait s'agir d'autre chose. Les jeunes doivent être
le centre de l'intérêt général.

---

[53] *This is an oratorical style. When inspired, the father gives speeches consisting of well-sounding but empty formulas.*
[54] **tu n'es... parti**   you never got off to such a fine start
[55] **la mise au pilon**   the stamping out
[56] **la chose commune**   the common cause. *This is a satire of modern bourgeois
values in which no distinction is made between morality and street lighting.*

PERE.—Je vais essayer d'y revenir. (*Déclamatoire:*) Quel plaisir de voir autour de soi s'épanouir les jeunes bourgeons.

Il s'arrête net.

MERE.—Vas-y, ça s'annonçait bien...[57]

5 PERE.—Je suis à court[58] d'adjectifs.

Entre Cruche.

CRUCHE.—Cette cuisine est ignoble, dégoûtante, infecte, sale, moche, sordide, nauséabonde, innommable, pustuleuse, croulante, écaillée, malodorante, dégueulasse,[59] et ainsi de suite.[60] (*Un* 10 *temps, puis furieuse:*) Et pourtant, j'y retourne.

Elle sort.

MERE.—Prends-en de la graine![61]

PERE.—Ah! C'est malin, de trouver des qualificatifs dépréciatoires...[62] Mais les bourgeons, vas-y, tiens... Je te passe le crachoir.[63]

15 MERE.—Les jeunes bourgeons verdoyants.

PERE.—Non... verdoyants, c'est lourd. Je voudrais évoquer le vert tendre des chatons[64] de noisetier; ou la teinte claire qui tourne un peu au tilleul et qui fonce délicatement à la base de cette frêle efflorescence végétale pour virer au vert pistache, cette 20 nuance subtile qui vous met le cœur en boule dans la gorge[65] quand on se promène au printemps dans un sentier plein de merde.[66]

MERE.—Oh! Léon.

---

[57] **ça s'annonçait bien** that had promise
[58] **je suis à court de** I am running low on
[59] **dégueulasse** (*very vulgar*) disgusting
[60] *See p. 48, note 12. This is an especially effective and dramatic example, coming as it does at the very moment when the father is running out of adjectives.*
[61] **Prends-en de la graine!** Take a lesson from her!
[62] *The father claims that it is easier to find pejorative expressions than poetic ones. He always manages to find some excuse.*
[63] **je te... crachoir** (*colloquial*) your turn to speak. *Literally,* **crachoir** *means spittoon.*
[64] **chatons** catkins, *the buds found on certain trees*
[65] **vous met... gorge** puts a lump in your throat
[66] **merde** (*vulgar*) excrement

PERE, *furieux.*—C'est vrai, quoi, ces cochons-là viennent baisser la culotte à l'endroit où c'est le plus joli. Pourquoi, à la fin, pourquoi?[67]

    Il crie presque.

MERE.—Calme-toi.   5

PERE *se calme.*—Tu as raison. (*Il déclame:*) Quelle joie ce sera pour nous de voir ces deux jeunes têtes tendrement enlacées... heu... enlacées par les oreilles...

MERE.—Léon! Tu bats la campagne.[68]

PERE.—Ecoute, j'ai dit ces deux jeunes têtes enlacées, il faut bien   10
qu'elles s'enlacent par quelque chose...

MERE.—Par les bras...

PERE.—Une tête n'a pas de bras.

LE VOISIN.—Rien de ce qui est abstrait n'a de bras, chère madame. L'agriculture, par exemple.   15

MERE.—Et la Vénus de Milo,[69] c'est abstrait?
    Le père, distrait et méditatif, va frapper le schmürz et revient.

PERE.—Nous dérivons. (*A la mère:*) Je fais la demande?

MERE.—Non, tu vas trop vite... et en outre, c'est à lui de la faire. C'est   20
le père du jeune homme qui doit demander la main de la jeune fille.

    Zénobie rentre, mordant dans un sandwich.

ZENOBIE.—La cuisine est immonde. Vous êtes encore en train de faire vos pitreries?[70]   25

---

[67] *Vian underlines two more traits of modern man. He accepts or ignores a catastrophic danger but becomes incensed about relatively minor issues. And while he himself commits acts of monstrous cruelty, he can become very sentimental about nature and love.*
[68] **tu bats la campagne**   you're raving
[69] **Venus de Milo**   *the famous armless statue in the Louvre. The absurdity of this conversation is worthy of Ionesco.*
[70] **Vous êtes... pitreries?**   You're still clowning around?

MÈRE, *au voisin.*—Ma fille est très primesautière, mais je suis moderne, et je pense que les jeunes gens d'aujourd'hui doivent avoir leur franc-parler.

> *Le schmürz s'effondre, le père le regarde, va à la cuisine,*
> *rapporte une carafe, la lui vide sur la tête; le schmürz se*
> *redresse avec peine, le père lui balance son pied*[71] *sur la*
> *figure; pendant tout ce temps, la mère continue.*

MÈRE.—Autant je suis partisan... ou partisante... ou partiseuse,[72] c'est ça, autant je suis partiseuse d'être assez sévère avec les très jeunes enfants pour leur enseigner que tout n'est pas miel dans la vie, autant j'estime qu'il faut, une fois le cap du bas âge franchi, laisser voguer grand largue[73] et au plus près ces blancs esquifs sur les eaux tièdes de l'existence.[74]

ZÉNOBIE.—Théorie d'ailleurs complètement inepte.

> *Elle mord de plus belle.*[75]

LE VOISIN.—Elle s'entendra à merveille avec Xavier.

> *Zénobie, excédée, s'assied sur une chaise, se retire une*
> *chaussure et se gratte un pied. On entend vaguement au*
> *dehors le Bruit. Aussitôt, le père, la mère et le voisin se*
> *dressent, Cruche entre, le schmürz est le seul à ne pas*
> *s'immobiliser, et Zénobie s'arrête de se gratter, terrorisée.*
> *Le Bruit cesse, chacun, sauf le schmürz, paraît soulagé.*

MÈRE.—J'ai l'impression que nous n'aurons guère le loisir de nous habituer à ce logis délicieux.

CRUCHE.—Est-ce que je m'arrête, ou est-ce que je continue à laver, à frotter, à astiquer, à récurer, à brosser, à fourbir, à entretenir, à nettoyer, à racler, à balayer, à cirer, à épousseter et à faire reluire?

MÈRE.—Continuez, continuez, bien sûr.

---

[71] **lui balance son pied**   kicks him
[72] *The correct feminine form of* **partisan** *is* **partisane.**
[73] **voguer grand largue** (*nautical expression*)   to sail off the wind *or* to run free
[74] *This extended metaphor surpasses in both banality and pompousness those found in the previous speeches of the father.*
[75] **de plus belle**   more vigorously than ever

Pere.—Nous sommes ici pour un bout de temps.[76] A vue de nez,[77] je dirais pour au moins... pour au moins une certaine durée.

Le voisin.—J'ai la même impression, mais peut-être serait-il sain que je rentrasse en mes appartements[78] vérifier la chose sur mon livre de comptes. 5

Pere *le conduit à la porte.*—Rien ne vous presse. (*Il le pousse dehors.*) Au revoir. (*Il referme la porte.*) Ouf! Quel raseur.[79]

Mere.—Ah, là là. Mais tu sais, je crois que la petite a raison. Il me semble que je connais son visage.

Pere *n'écoute pas.*—C'est tout de même en famille qu'on est le mieux.[80] 10

Il cherche, dans les paquets, et trouve une cravache. Il retire son veston et commence à cravacher le schmürz avec une sauvagerie incroyable.

Mere.—C'est surtout le grain de beauté[81] qu'il a près du nez qui me ferait penser que je l'ai déjà vu. Mais où et quand? 15

Pere, *voix naturelle.*—Oui, ses traits ont quelque chose de familier.

Mere.—De courant.

Pere.—De banal, même.

Zenobie *rêve.*—Quand j'avais ma chambre et mes disques, Xavier avait la même chambre que moi de l'autre côté de la cour, et on 20 s'échangeait des disques tout le temps. Ça nous en faisait deux fois plus à chacun. Son père est toujours aussi idiot. (*Elle regarde son père[82] et se met à crier:*) Mais qu'est-ce que tu lui fais! Qu'est-ce que tu lui fais! Vas-tu le laisser!

[76] **un bout de temps** some time. *The father has already forgotten the menacing sound.*

[77] *The distortion, misuse, or overuse of a cliché is another comic device which contemporary playwrights have inherited from Feydeau and which Ionesco exploits brilliantly.* (*See for example his* Jacques ou la soumission.) *This should read* à vue d'œil *meaning as a rough estimate, while* à vue de nez *means in a rough and ready way.*

[78] *His use of the imperfect subjunctive as well as* **appartements** *in the plural is ludicrously formal.*

[79] **Quel raseur!** What a bore! *Such sudden changes of attitude occur often in the contemporary theatre. See p. 34, note 55.*

[80] **c'est... le mieux** *the equivalent of* there's no place like home

[81] **grain de beauté** mole

[82] *The father is still savagely whipping the* **schmürz**.

Père *se tourne vers elle, le visage complètement fermé.*—Où en est Cruche[83] avec les nouilles?

Mère, *visage fermé.*—C'est vrai, ça devrait être prêt.

Zénobie sort, accablée, vers la cuisine.

5 Père *continue à cravacher un instant puis s'arrête et, posément, se frotte les mains en faisant craquer ses articulations.*—Veux-tu que je déballe la valise noire? On a le temps, avant que Cruche ne mette le couvert.

Mère.—C'est vrai, mon chéri, ça me rendrait bien service. Je crois que
10 les fourchettes sont au fond. Tu n'oublies pas la cloison, au moins.

Père.—Non, non, je vais la fabriquer aussitôt qu'on aura desservi. (*Il se frotte les mains, regarde autour de lui.*) Moi, je me sens déjà tout à fait chez moi, ici.

15 *Il lui fait une bise.*[84] *Entre Cruche avec un plat fumant et Zénobie avec du pain et une carafe d'eau. La mère apprête les assiettes et les couverts.*

Zénobie, *qui a vu ses parents s'embrasser.*—Non, écoutez, vous n'êtes plus d'âge...

20 Mère.—Il n'y a pas d'âge pour faire ça quand on s'aime.

Zénobie.—Alors c'est moi qui ne suis plus d'âge à regarder; ça me dégoûte. Maintenant, ça me dégoûte.

Le père et la mère se sont assis et s'installent.

Père.—L'amour n'est jamais ridicule.

25 Zénobie.—L'amour, peut-être.[85] (*Elle s'assied.*) Je n'ai pas faim.

Cruche commence à servir.

Cruche.—Ça va être froid.

Le père sert.

---

[83] **où en est Cruche** how's Cruche coming along
[84] **bise** (*colloquial*) kiss
[85] *Zénobie implies that what disgusts her is the physical manifestation of a desire devoid of love.*

PERE.—Hum!... Ça sent bon.

CRUCHE.—Ça sent les nouilles.

MERE.—Elles ont l'air très réussies. Laissez le plat, ma petite Cruche, nous ferons le service nous-mêmes.

> *Cruche lui met le plat entre les mains et s'en va en évitant*   5
> *le schmürz. Le père mange et n'a pas l'air de la voir.*
> *Quand elle arrive à la cuisine, il appelle, brièvement:*

PERE.—Cruche... Vous n'oubliez rien?

> *Résignée, Cruche revient, prend la cravache et commence*
> *à cravacher le schmürz.*[86]   10

MERE.—C'est excellent!

> *Zénobie laisse tomber sa tête sur ses bras et se bouche les*
> *oreilles, courbée sur la table, pendant que le père et la*
> *mère mangent, que Cruche cravache et que le rideau*
> *tombe. Cruche s'arrête et sort.*   15

PERE.—Fameux![87]

MERE.—Très bon!

PERE.—Succulent!

MERE.—Délicieux...

---

[86] *It seems that the parents need the spectacle of cruelty to stimulate their jaded senses. They cannot even enjoy their food without it. It is also significant that Cruche only strikes the* **schmürz** *against her will, earlier in order to obtain her partition and now when ordered to do so.*
[87] **Fameux!** Terrific!

DEUX

*Décor changé. C'est une nouvelle pièce mansardée, en-
core un peu plus moche. Eléments identiques, les bagages,
les ballots déjà véhiculés au premier tableau. Mais il y a
moins de portes. La pièce où on se trouve n'est plus un*
vivoir,[1] *mais une sorte de pièce à tout faire;[2] réchaud sur
une table, cuvette sur une autre, etc... Au fond, porte
palière au même emplacement qu'à l'acte précédent. Mais
il ne reste plus qu'une porte qui donne dans la chambre
où dorment les parents et Cruche. Il y a un lit-divan minable, Zénobie y est couchée. Le schmürz, encore en plus
piteux état qu'à l'acte qui précède, se soigne avec des vieux
chiffons, arrangera notamment la plaie saignante d'une de
ses jambes, dont il chassera les mouches de temps en
temps avec sa loque.*

*Au lever du rideau, Zénobie est étendue, et Cruche,
assise sur le bord de son lit, dévide la laine d'un vieux
chandail qu'elle détricote pour faire une pelote.*

*Il y a, dans la pièce, un escalier comme dans la précédente,
moins large, plus branlant.*

ZENOBIE.—Quel jour sommes-nous?

CRUCHE.—Lundi, Samedi, Mardi, Jeudi, Pâques, Noël, le Dimanche
de l'Avent, le Dimanche du Pendant, le Dimanche de l'Après,[3]
ou pas de dimanche du tout, et même encore la Pentecôte.

ZENOBIE.—C'est ce que je me disais. Le temps passe mal.

---

[1] **vivoir**   living room
[2] **à tout faire**   all-purpose
[3] *Words are not always associated logically but affectively. Hence* **Avent**
meaning Advent sounds exactly like **avant,** *which then calls up other temporal
prepositions. One could say that this is a concretization of Shakespeare's "the
times are out of joint."*

CRUCHE.—Il n'a pas la place.

ZENOBIE.—Il y a trop de gens, ou trop de quoi? Qu'est-ce qui l'empêche de passer? D'ailleurs, où est-ce qu'il passe? Par le chas d'une aiguille? Dans la rue?

CRUCHE.—Il a passé par ici, il repassera par là.   5

ZENOBIE.—Pendant qu'ils ne sont pas là, donne-lui un verre d'eau.

CRUCHE *la regarde, fermée.*—Quoi?

ZENOBIE *désigne le schmürz du menton.*—Donne-lui un verre d'eau.

CRUCHE, *voix blanche.*—A qui?[4]

ZENOBIE, *silence—elle hausse les épaules, n'insiste pas.*—Donne-moi   10
un verre d'eau. (*Cruche la regarde, hésite.*) J'ai soif.

CRUCHE.—Tu es sûre que tu as soif?

ZENOBIE.—Non. Je voulais le lui donner.

CRUCHE.—De qui parles-tu?

Zénobie la regarde longuement, et finit par détourner les   15
yeux.

ZENOBIE.—Pourquoi est-ce que je reste couchée?

CRUCHE.—Tu n'es pas bien. Tu es en mauvaise santé. Tu es mal por-
tante. Tu présentes des symptômes avant-coureurs de désordres.
Ton état ne semble pas satisfaisant.   20

ZENOBIE.—Je suis malade?

CRUCHE.—On ne peut pas vraiment dire que tu sois malade.

---

[4] *This play was written during the French-Algerian conflict, and it is possible to find many specific contemporary allusions in it. Such a political interpretation is certainly suggested by the title. The older generation of colonialists, the Kipling-like empire builders mistreat and disregard the indigenous population (the* schmürz) *and tolerate only those natives who serve them (Cruche). The latter had to follow the example of their masters and at times maltreat or ignore their less fortunate countrymen (see p. 69, note 86). Only the younger genera-tion (Zénobie) feels any compassion for the exploited.*

ZENOBIE.—C'est l'escalier. On est montés trop vite. (*Elle regarde autour d'elle.*) On ne peut guère descendre plus bas.[5]

CRUCHE.—Il n'y a plus de cuisine.

ZENOBIE.—Plus qu'une chambre, et cette pièce. Comment peut-on
5   définir une pièce pareille.

CRUCHE.—Ça n'a pas de nom. Mais on pourrait dire un foutoir,[6] un cagibi,[7] un grenier, un boxon,[8] un placard, une souillarde,[9] encore bien d'autres choses, sans compter un capharnaüm[10] encore qu'il ne s'y trouve pas de cafards. Tout au moins, je l'espère.

10   ZENOBIE.—Pourquoi est-ce que je suis malade?[11]

CRUCHE.—Moi-même, je ne suis pas tellement flambarde.[12] Et chez ton père et ta mère on peut déceler des prodromes...[13]

ZENOBIE.—Quel genre?

CRUCHE *hausse les épaules.*—Oh, des prodromes d'un genre inquié-
15   tant.

ZENOBIE.—En dehors de leur idiotie intégrale, je n'ai jamais rien décelé chez eux.

CRUCHE *la regarde dans les yeux.*—Rien?

---

[5] *This same theme is dealt with in Ingeborg Bachmann's German avant-garde drama,* Der Gute Gott von Manhattan (The Good Lord of Manhattan), *1958, in which the couple Jan and Jennifer move from the ground floor of a hotel to its 57th floor. Each time they move up they are actually sinking morally, until they reach the top where one of them must die.*

[6] **foutoir** (*vulgar*)   brothel
[7] **cagibi** (*colloquial*)   miserable hovel
[8] **boxon** (*colloquial*)   brothel
[9] **souillarde**   laundry sink
[10] **capharnaüm** (*colloquial*)   dump. *This expression leads to the word play* with **cafards**.
[11] *There are several possible answers to Zénobie's question. One could reply that not being able to forget the beauty of the past she cannot live with the horror of the present. Another possibility is that life becomes intolerable because, unlike her parents and Cruche, she does see the* **schmürz**. *If he is, as certain critics have suggested, symbolic of the conscience, one could say that Zénobie cannot continue to live because of her awareness of her guilt.*
[12] **je ne... flambarde** (*colloquial*)   I'm not in such good shape
[13] **prodromes**   premonitory symptoms. *One of the amusing aspects of Cruche's speeches is her use of words that one would hardly expect from a person in her station in life.*

ZÉNOBIE, *un silence.*[14]—Qu'est-ce que tu vas faire avec cette laine?

CRUCHE.—Un chandail, un tricot, un vêtement, un jersey, un sweater, un pull-over, une camisole, un ouvrage au crochet.

ZÉNOBIE.—Un cardigan.

CRUCHE.—Il n'y a pas assez de laine pour un cardigan. Celui-ci est usé   5
aux coudes. Donc, le prochain n'aura pas de manches.

ZÉNOBIE.—Une chasuble.[15]

CRUCHE.—Peut-être que je n'aurai pas le temps de la finir.

ZÉNOBIE.—Qu'est-ce que c'est que le bruit, Cruche?

CRUCHE *détourne la tête.*—Quel bruit?   10

ZÉNOBIE.—Le Bruit...

CRUCHE.—Il y a mille espèces de bruits. Quand ce ne serait que les
cris d'animaux...

ZÉNOBIE *l'arrête.*—Non... le Bruit... chaque fois qu'on s'en va... chaque
fois qu'on se lève, en pleine nuit, pour monter l'escalier, comme   15
des fous, en oubliant tout, en se faisant mal... pourquoi on ne
reste pas, une fois, une seule fois? Pourquoi on a peur, comme
ça... c'est tellement grotesque...

CRUCHE.—On n'a pas peur... on monte l'escalier, et voilà.

ZÉNOBIE.—Mais si on restait? Si on était restés?   20

CRUCHE.—Personne ne reste.

ZÉNOBIE.—Et maintenant, en dessous, qu'est-ce qu'il y a? On n'entend
rien... On n'entend jamais rien... Si on écoutait ce qu'il y a? Si on
redescendait?

CRUCHE.—Tu as la fièvre. Ta température monte. La chaleur aug-   25
mente. L'agitation moléculaire croît.

---

[14] *Her refusal to answer shows that even Zénobie is not always perfectly hon-*
est. She obviously has noticed certain symptoms, perhaps those of death.
[15] *A chasuble is an ecclesiastical garb.*

ZENOBIE.—Moi, je veux redescendre.

> *Le schmürz a bougé un peu, il se traîne lentement vers l'escalier.*

CRUCHE.—Ton père a bouché l'escalier...

5   ZENOBIE.—Je déclouerai les planches... Je veux descendre... Je veux aller voir qui habite chez nous... Je veux même redescendre jusqu'à tout en bas, jusqu'à mon ancienne chambre, quand j'avais de la musique sur mon pick-up.

> *Elle se lève, titube un peu comme une fiévreuse. Cruche*
10 > *la soutient.*

CRUCHE.—Recouche-toi. Mets-toi au lit. Etends-toi. Allonge-toi. Repose-toi. Calme-toi.

> ZENOBIE *va vers l'escalier, voit le schmürz couché sur la trappe, tapi comme un animal, et qui lui barre le passage. Elle a un geste de*
15 > *désespoir et s'appuie à une table.*—Donne-moi un verre d'eau!

> CRUCHE *se lève, verse un verre d'eau avec le broc qui est dans la cuvette, lui donne le verre d'eau sans la regarder et sort dans la seconde pièce. Restée seule, Zénobie prend le verre, s'approche du schmürz, essaie de lui tendre le verre. D'un geste comme un*
20 > *coup de griffe, il fait voler le verre et elle recule effrayée.[16] Elle retombe sur le lit et sanglote tandis que Cruche revient, ramasse le verre, essuie et remet en place, évitant de regarder le schmürz. Puis elle revient à Zénobie, lui caresse l'épaule.*—Ne pleure pas.

> *Zénobie se redresse et se mouche. La porte palière s'ouvre,*
25 > *la mère entre suivie du père. Ils ont des mines de circon-*
> *stance.[17]*

MERE.—Le pauvre homme, c'est vraiment trop de malchance.

---

[16] *If one accepts the political interpretation (see p. 71, note 4), the reaction of the* schmürz *can be easily explained. Like so many of the underprivileged, he refuses Zénobie's gesture of compassion, because in it he sees either condescension or more likely an attempt to bribe him (for he is sitting on the trap door). A similar scene is found in Beckett's* En attendant Godot. *Estragon tries to wipe the eyes of Lucky, the slave, and receives a kick in return.*
[17] **mines de circonstance**   airs of mourning

PERE.—Oui... à la réflexion, comparés à lui, nous ne sommes pas à plaindre.

ZENOBIE *est assise sur le lit, Cruche s'est écartée d'elle et vaque à des occupations ménagères.*—Comment va Xavier?

MERE.—Ecoute, ma cocotte[18] chérie, après tout, ce garçon, tu ne le 5
connaissais pas beaucoup.

PERE.—En somme, nous n'habitons ici que depuis deux jours, et Xavier était à peine plus qu'une relation de bon voisinage.

MERE.—Tu ne peux pas prendre un tel événement aussi à cœur que si c'eût été, par exemple, ton frère. 10

PERE.—Ton neveu.

MERE.—Ton cousin.

PERE.—Ton fils.

MERE.—Ou même ton fiancé.

ZENOBIE, *froide.*—Xavier est mort? 15

PERE.—Euh... malheureusement, on peut dire qu'il n'y a plus grand-chose à espérer.

MERE.—On l'a enterré hier, le pauvre petit.

ZENOBIE *répète, d'une voix plate.*—Xavier est mort.

MERE.—La douleur des parents fait peine à voir. 20

PERE.—Oui, ces gens sont bien éprouvés. Nous avons vraiment beaucoup de chance.

Il regarde autour de lui, se frotte les mains, va frapper le schmürz et revient.

MERE.—Il ne faut pas se dissimuler que c'est très dur pour eux. 25

ZENOBIE.—Oh, ils se feront une raison.[19] Tout le monde se fait une raison.[20] Nous-mêmes (*elle hausse les épaules*)... sans effort.

---

[18] **cocotte**   sweetheart
[19] **ils se... raison**   they will reconcile themselves to it
[20] *Zénobie insists on one of man's essential traits, his extraordinary ability to reconcile himself to the most tragic situations. The father confirms this when he keeps insisting on how fortunate their lot is.*

PERE.—Notre sort est enviable, Zénobie, je t'assure que notre sort est enviable.

MERE *cherche des yeux, va donner un coup au schmürz, revient.*—Je ne vois pas la pendule.

5   PERE.—Je l'ai emballée avant-hier dans le sac de papier gris, Cruche... C'est vous qui le portiez?

CRUCHE.—Non.

Elle sort.

PERE.—Tiens... elle n'est pas causante aujourd'hui.

10   MERE, *au père.*—Alors?

PERE.—On a dû la laisser en bas.[21] (*Il hausse les épaules.*) Ça ne nous manque pas beaucoup, la preuve, ça fait deux jours qu'on est ici et on ne s'était pas encore aperçus qu'elle est restée en dessous.

MERE.—Il doit être trois heures et demie quatre heures...

15   ZENOBIE.—Si j'avais encore mon pick-up, ou même la radio...

MERE.—Comment, la radio? Mais nous n'avons jamais eu la radio, mon chéri, voyons...

ZENOBIE.—Avant d'être en dessous (*geste vers l'étage inférieur*) on avait la radio.

20   PERE.—Je t'assure qu'en dessous, on n'avait pas la radio. Une pendule, ça, d'accord, il y avait une pendule. Mais de radio, point.

ZENOBIE.—J'ai dit: avant d'être en dessous. Si j'avais voulu dire en dessous, j'aurais dit: avant d'être ici.

MERE.—J'ai pourtant bonne mémoire, et je ne me souviens pas du
25   tout de cette radio. C'est comme le voisin, ce pauvre homme, ton père m'affirme qu'il a l'impression de l'avoir déjà rencontré, et moi, je lui trouve bien un aspect familier, mais je ne me rappelle en aucune façon les relations éventuelles que nous aurions pu nouer. Pourtant, j'ai bonne mémoire, je te le répète, et, pour t'en
30   donner un exemple, il me suffit d'un instant pour évoquer la silhouette fière et avantageuse de ton père le jour qu'il me conduisit à l'autel.

[21] *The loss of the clock seems symbolic; time is running out on the family.*

PERE, *à la mère.*—Il faut distraire cette gosse. (*Haut:*) Evidemment, ce Xavier, nous ne le connaissions guère, mais par simple solidarité humaine, je dirai plus, par esprit de palier, je conçois qu'elle éprouve un vif regret de sa disparition et qu'elle éprouve le besoin de se raccrocher à des broutilles.[22]   5

ZENOBIE *les regarde.*—C'est effrayant ce que ça[23] peut être bavard à cet âge-là.

> *Le père va asticoter[24] le schmürz et termine par trois bons coups de pied au ventre.*

MERE.—Tu n'es pas plus touchée que ça par la disparition de Xavier?   10

ZENOBIE.—Je trouve qu'il a de la veine.[25]

PERE.—De la veine? Mon petit lapin,[26] tu ne te rends plus compte... nous qui avons un toit, de quoi manger, un peu de place...

ZENOBIE.—De moins en moins.

PERE.—De moins en moins? Le voisin n'en a pas plus.   15

ZENOBIE.—Je m'en fous complètement, du voisin. Si ça lui suffit, tant mieux pour lui. N'empêche qu'autrefois, il avait six pièces, comme nous.

PERE.—Six pièces... c'est de la vanité.

> *La mère va frapper le schmürz.*   20

ZENOBIE.—Et combien d'étages reste-t-il au-dessus de nous?

PERE, *très sincère.*—Je ne comprends pas ta question.

ZENOBIE.—Et si le Bruit revient?

MERE.—Mais quel bruit?

> *On entend vaguement le bruit, et tous s'immobilisent sauf*   25
> *le schmürz qui continue à grouiller un peu.*

ZENOBIE, *pâle, poings serrés.*—Si le Bruit revient?

---

[22] **broutilles**   trifles
[23] *The use of* ça *to designate her parents is extremely derogatory.*
[24] **asticoter** (*colloquial*)   to torment
[25] **il a de la veine** (*colloquial*)   he's lucky
[26] **lapin**   *a term of endearment in French*

Pere.—Nous monterons.

Il va palper l'escalier.

Zenobie.—S'il n'y a rien au-dessus?

Pere.—Cet escalier mène bien à quelque chose, tu me l'accorderas?

⁵ Zenobie, *patiente.*—Bon. Mais au-dessus, il n'y aura plus qu'une pièce.

Pere.—Ça, tu n'en sais rien. Ce n'est pas du tout prouvé. Tu n'as pas le droit d'inférer d'un changement d'étage qu'il y aura moins de place au suivant.

Zenobie.—Et s'il n'y a plus d'escalier, quand nous aurons monté d'un
¹⁰ cran?

Pere.—S'il n'y a plus d'escalier, c'est que nous n'aurons plus à nous en servir, et ton fameux bruit, tu ne l'entendras plus, par conséquent.[27]

Zenobie, *découragée.*—Si c'est ça ta façon de raisonner…

¹⁵ Pere.—Je te trouve étrange, Zénobie. A ta place, bien des jeunes filles seraient heureuses.

Il va frapper le schmürz.

Mere.—Tu oublies qu'elle est un peu fiévreuse, ma pauvre minette.

Elle va cajoler Zénobie qui se dégage.

²⁰ Zenobie.—Qu'est-ce que vous allez faire, maintenant?

Pere.—Comment, qu'est-ce que nous allons faire? La question ne se pose pas. Le vent se lève. Il faut tenter de vivre.[28]

Mere.—Je t'assure qu'elle est fiévreuse. (*A Zénobie:*) Viens t'étendre, ma mignonne.

²⁵ *Zénobie se laisse faire, la mère l'allonge et va cogner sur le schmürz, puis revient tandis que le père feuillette un livre en fredonnant.*

---

[27] *The tenacious optimism of the father's reasoning is reminiscent of Pangloss's equally blind logic in Voltaire's* Candide.

[28] **Le vent… vivre** *a familiar quotation, one of the last verses of Paul Valéry's poem,* "Le Cimetière marin"

ZENOBIE.—De quoi est mort Xavier?

PERE.—Pardon?

ZENOBIE.—De quoi Xavier est-il mort?

PERE.—Bah! de tout et de rien, tu sais bien comment on meurt, quand
on est jeune.   5

ZENOBIE.—Non.

PERE.—Enfin, Xavier a fait quelques imprudences et son père a eu le
tort de ne pas l'en empêcher.[29]

ZENOBIE.—Il a descendu l'escalier?

PERE, *gêné.*—Je ne sais pas.   10

ZENOBIE.—Il a refusé de quitter l'étage du dessous?

PERE.—Eh, je ne sais pas, je te dis. L'essentiel, c'est qu'il soit mort.

ZENOBIE.—Il a dû essayer de descendre; sans ça, on ne l'a pas enterré;
s'il était resté en bas, personne n'aurait osé aller le rechercher.

PERE.—L'enterrer, l'enterrer, enfin, nous supposons qu'on l'a enterré.   15
S'il était mort, c'était la seule chose à faire, après tout.

> *Il va cogner le schmürz. La mère est sortie, revient,*
> *s'occupe.*

ZENOBIE *rêve.*—Et Jean, qu'est-ce qu'il est devenu?

PERE.—Jean?   20

> *Il paraît sincèrement surpris.*

MERE.—De qui parles-tu, Zénobie?

ZENOBIE *rêve.*—Quand on habitait les quatre pièces avec le balcon;
juste à côté, sur l'autre moitié du balcon, le fils des voisins venait
lancer des avions. Il se nommait Jean. Il dansait très bien.[30]   25

MERE.—Zénobie, mon petit poulet,[31] tu rêves tout éveillée.

---

[29] *This could be a warning to Zénobie.*
[30] *Zénobie is recalling what is a very normal childhood (a point emphasized
by the fact that her friend had what is one of the most common names in French).
This evocation contrasts sharply with the present nightmare.*
[31] **poulet** *a common term of endearment in French*

ZÉNOBIE.—Je ne rêve pas.

MÈRE.—Ecoute, ma perle, tu prends ta maman pour une vieille bête...[32] (*Au père:*) Il faut la distraire, je te jure qu'il faut la distraire.

5　　　　*Elle va cogner le schmürz.*

PÈRE *s'interroge.*—Comment? Il est vrai que les parents, autant qu'il est en leur pouvoir de le faire, ont pour rôle de former leurs jeunes enfants et de leur donner une éducation telle que le contact avec la vie réelle qui les guette au sortir du nid familial
10　　　　se produise de façon insensible et douce sans les blesser le moins du monde. Mais est-il dans leur rôle de les distraire et la formation comporte-t-elle la distraction?[33]

MÈRE.—Une distraction éducative. Il est certain que Xavier n'était pas unique. Zénobie doit être préparée à la rencontre d'un futur
15　　　　compagnon.

ZÉNOBIE.—Et ce compagnon et moi, où vivrons-nous, à supposer que je le rencontre?

MÈRE.—C'est sans importance.

PÈRE.—Ce problème se résoudra de lui-même.

20　ZÉNOBIE, *sarcastique.*—Ce sera bien le seul. Du reste, qui le pose, le problème?

MÈRE.—Je suis persuadée, à bien réfléchir, que l'exemple est le meilleur des guides. Notre exemple en l'occurrence.

PÈRE.—Notre exemple est, en effet, exemplaire. (*A la mère:*) Si je
25　　　　mimais notre aventure?

MÈRE.—Chéri, tu mimes si bien. Mais parle, ne te borne pas à mimer. A quoi bon te priver d'un moyen d'expression dont tu as la maîtrise complète?

---

[32] **bête** *an affectionate term when used with* **vieille**
[33] *This is another cliché-laden speech, which satirizes parental discussions on the upbringing of children.*

Pere *annonce.*—Reconstitution. (*Il commence son récit:*) On se représente un beau matin de printemps, la ville en fête, les oriflammes en train de claquer au vent et le vacarme des véhicules à moteur couvrant la rumeur joyeuse qui montait de cette énorme fourmilière humaine. Moi, le cœur traversé de décharges électriques, je comptais les heures à l'aide d'un abaque chinois légué par mon grand-oncle, celui qui avait participé au pillage du Palais d'Eté à Pékin.[34] (*Il s'interrompt, réfléchit.*) Où est-il passé, cet abaque? (*A la mère:*) Tu ne l'as pas vu récemment?

Mere.—Ma foi non, mais tu sais, on va probablement le retrouver en faisant le rangement.

Pere.—N'importe, le fait est là.

Zenobie.—Si c'est arrivé autrefois, le fait n'est plus là, justement. Le fait que tu t'en souviennes est d'un tout autre ordre.

Pere.—Zénobie, j'essaie de te distraire; mais ne me fais pas perdre le fil.

Zenobie, *indifférente.*—Oh! vas-y, vas-y.

Elle sort vers l'autre pièce. Le père reprend.

Pere.—Bref, je comptais les heures, et comme j'étais fort en[35] arithmétique, ce calcul ne présentait aucune difficulté pour moi. Non plus qu'un certain nombre d'autres calculs, tel celui de la circonférence du cercle, du nombre de grains de sable contenu dans un tas de sable, pour lequel on procède comme dans la sommation des piles de boulets, et ainsi de suite. Les fournisseurs se succédaient dans l'antichambre de l'heureuse fiancée, pliant sous le poids des corbeilles de fleurs, de fruits et de linge sale, car certains confondaient avec la blanchisserie voisine. Mais tout ceci, je ne le rapporte que par ouï-dire, car elle était chez elle, et moi chez moi. J'étais prêt, resplendissant, un air de santé flottait autour de mon visage bien rasé, et, seul avec mes pensées,

---

[34] *In 1860 Lord Elgin, commander of the Allied forces, as an act of reprisal, ordered the destruction of the Summer Palace outside of Peking. A French detachment took part in the pillaging of this treasure house of Oriental art. The historic accuracy of this detail makes the surrealistic vision of the father seem even more extraordinary.*

[35] **fort en** good at

c'est-à-dire vraiment seul, je m'apprêtais à cette fusion des états-
civils[36] dont on a pu dire qu'elle était... heu...

MERE *réfléchit.*—Qui a bien pu dire ça?

PERE.—Mais enchaînons, enchaînons, je te passe le crachoir...[37]

5   MERE.—Moi, de mon côté, timide et rougissante, encore qu'en réalité
je susse, car mes parents étaient des gens modernes, à quoi m'en
tenir,[38] et que ce vaurien n'aurait de cesse,[39] une fois seul avec
moi, qu'il ne parvînt à me grimper,[40] je babillais, entourée de mes
filles d'honneur, de choses et d'autres,[41] et des sujets les plus
10   divers, car une épousée du jour ne pense qu'au petit truc,[42] mais
la société refuse que l'on dénomme le petit truc avant de l'avoir
subi, sauf chez les êtres primitifs qui sont bien à plaindre, hélas.
(*Le père revient de frapper le schmürz.*) Léon, reprends, cette
évocation m'épuise.

15   *Ils continuent à danser une sorte de ballet, mimant toute
la journée du mariage.*

PERE.—Je bouillais, mon sang faisait des bulles, et quand le sang fait
des bulles, l'embolie[43] n'est pas loin. (*La mère va frapper le
schmürz.*) Aussi, je dis à mon cousin Gautier, Jean-Louis
20   Gautier,[44] qui venait d'entrer dans la pièce et qui terminait ses
études de médecine: « Ne crois-tu pas qu'une saignée me ferait

---

[36] **cette fusion des états-civils**   *might be freely translated as* this merger of
two vital statistics. *Actually* **état-civil** *is a very common French expression meaning* civil status (*i.e., age, marital status, etc.*). *These lyrical evocations of one
moment in the past, interspersed with grotesquely humorous elements, are frequently found in the contemporary theatre. Some notable examples, with which
this scene may be compared, are the dream sequence in Act Two of Ionesco's*
Amédée ou comment s'en débarrasser *and the first tableau of Audiberti's* Quoat-
Quoat. *There is a similar scene in almost every one of Beckett's plays, including*
Comédie. (*See volume 1 of this anthology.*)

[37] *See p. 64, note 63.*

[38] **à quoi m'en tenir**   the facts of life

[39] **n'aurait de cesse**   wouldn't be still

[40] **me grimper** (*vulgar*)   to climb on top of me

[41] **de choses et d'autres**   of one thing and another

[42] *When* **truc** *meaning* thingamajig *is used with* **petit,** *it refers to sex.*

[43] **embolie**   embolism, *a blood clot which causes a stroke*

[44] *This might be an allusion to Jean-Jacques Gautier (b. 1901), a noted drama
critic in France of fairly conservative tendencies, who frequently writes for*
Le Figaro. *This is all the more likely because Vian is very fond of such private
jokes, which abound in his novels and other plays.*

du bien? » Il s'esclaffa. (*Il s'esclaffe.*) Il riait tant que... Je me
suis mis à rire aussi. (*Il va au schmürz et cogne.*) Non, vraiment,
c'était trop marrant.[45] (*Il s'arrête et très platement:*) Ah, on a
bien rigolé[46] ce jour-là.

MERE.—J'avais vingt-deux ans.   5

PERE.—Je passe sur la cérémonie elle-même. (*Il mime.*) Acceptez-
vous de prendre pour femme cette ravissante blondinette?[47] Et
comment,[48] monsieur le maire! Qu'est-ce que vous feriez à ma
place? Moi, dit le maire, je suis pédéraste.[49] (*Il se tape sur les
cuisses.*) Ça, c'était la meilleure. Le maire était pédéraste.   10

MERE.—Un si bel homme. Quelle pitié.

PERE.—Le curé, à son tour: « Aimez-vous les uns les autres », l'encens,
les enfants de chœur, la quête, bref on avait bien fait les choses.
Il y a eu cinq quêtes.

MERE.—Tu es sûr?   15

PERE.—J'affabule[50] un peu, mais je me souviens avec précision de ces
cinq quêtes. Ça m'a touché. Puis, le lunch,[51] chez les beaux-
parents.[52] (*Cruche paraît avec un plat sur lequel il y a des
tranches de veau froid et des bouts de poulet.*) On s'est gorgés.

Il prononce: on s'égorgeait.[53]   20

MERE.—Tu exagères...

PERE.—On s'est gorgés de nourriture. (*Il enlève le plat à Cruche et se
met à manger. Cruche va pour sortir en évitant le schmürz, le
père, impératif, fait claquer ses doigts, elle revient et frappe le
schmürz.*) Le champagne coulait à flots grisants.   25

---

[45] **marrant** (*colloquial*)   funny
[46] **rigolé** (*colloquial*)   laughed
[47] **cette... blondinette**   this ravishing little blond
[48] **et comment**   I'll say
[49] Pederast *is commonly misused in French to mean homosexual.*
[50] **j'affabule**   *a neologism from the noun* **affabulation** *meaning* the elements
which form the plot of a novel. *It might be translated by* I fabulate, *although
the father does mean to say* I exaggerate.
[51] **lunch**   *a cold buffet, served after a ceremony*
[52] **beaux-parents**   in-laws
[53] *a pun on* we stuffed ourselves *and* we cut each other's throats

Mere.—Le mousseux.[54]

Pere.—Tes parents étaient radins,[55] c'est juste.

Zénobie entre, elle mord dans un sandwich.

Zenobie.—C'est bientôt fini, ton son et lumière?[56]

5 Pere.—La suite, je la laisse à votre imagination. Nous seuls, tous deux, mariés du matin, dans la petite chambre...

Zenobie *coupe.*—Neuf mois plus tard, je naquis.

Mere.—Et nous allâmes nous établir à Arromanches, où l'on t'offrait un bon métier.[57]

10 Pere.—Equarrisseur. Un peu comme sculpteur, mais en plus vivant.

Mere.—Et nous voilà. Un ménage souriant, (*leur ballet se termine, elle va vers le père, lui vers elle, leur mouvement va converger sur le schmürz qu'ils assommeront de coups*) heureux, jamais désuni malgré l'adversité.

15 *Ils cognent.*

Zenobie, *voix morte.*—Entre temps, il ne s'est rien passé?

Elle s'assied sur le lit.

Pere *revient.*—Entre temps?

Zenobie.—Depuis Arromanches?

20 Pere.—Nous avons quitté le village pour la grand'ville... Et nous continuons notre vie de couple uni pour le meilleur et pour le pire, et même pour entre les deux, ce qui se produit le plus souvent, car le meilleur et le pire, c'est comme les heures de pointe,[58] c'est exceptionnel.

---

[54] **mousseux** sparkling wine; *a cheap substitute for champagne*
[55] **radins** (*colloquial*) tightwads
[56] *In France historic monuments are often used as the site for* un spectacle son et lumière, *during the course of which the monument is illuminated and a dramatic, often historic, commentary is presented to the accompaniment of music. In this context Zénobie's statement could be freely translated as* your Hollywood spectacular.
[57] *See p. 49, notes 14 and 16.*
[58] **les heures de pointe** rush hour

ZENOBIE.—En matière de distribution d'électricité, les heures de pointe[59] n'ont rien d'exceptionnel. C'est quotidien.

MERE.—Zénobie, je me demande de qui tu peux tenir ce caractère ratiocineur?[60]

ZENOBIE.—Je le tiens de vous, probablement par contraste. 5

MERE.—J'ai beau me remémorer les membres de la famille, je n'arrive pas à imaginer par quel phénomène tu as hérité ces particularités, et qui te les a léguées.

PERE, *à la mère*.—On peut étudier méthodiquement la famille, si tu le désires. Tout ce qui est méthodique m'enchante. On pourrait 10 même dresser un arbre généalogique. Tu m'aideras.

ZENOBIE.—Tu feras mieux de le[61] laisser pousser tout seul. Moi, je laisse tomber.[62]

Cruche vient d'entrer, elle enchaîne.

CRUCHE.—Elle passe la main,[63] elle se dégage, elle abandonne, elle se 15 retire du coup, elle voit venir,[64] elle ne marche plus, elle fait Charlemagne,[65] et, en résumé, elle se désintéresse de la conjoncture.

PERE, *vexé*.—Cruche, on se demande de quoi vous vous mêlez.

CRUCHE.—Qui se pose cette ridicule question?

PERE.—Moi. 20

CRUCHE.—Alors ne dites pas « on ».[66] Dites « Je me demande de quoi vous vous mêlez » ou « Cruche, c'est-y vos oignons? »,[67] ou « en

---

[59] **les heures de pointe** *also means* peak hour
[60] **ratiocineur** (*derogatory*) rationalizing
[61] **le** *refers to the* **arbre généalogique** *above, an expression that Zénobie interprets literally*
[62] **je laisse tomber** (*colloquial*) I give up
[63] **elle passe la main** (*bridge expression*) she passes
[64] *This expression differs somewhat from the others; it is related more to the passivity of* **je laisse tomber** *above.*
[65] **elle fait Charlemagne** *a gambling expression applied to someone who has just won and, instead of continuing the game, prudently withdraws his stakes*
[66] *In colloquial French* **on** *is often used incorrectly to replace a definite pronoun.*
[67] **c'est-y vos oignons** (*colloquial*) is that any of your business

quoi est-ce que ce problème vous regarde? »,[68] ou « quel intérêt cela peut-il présenter pour vous? ». Mais soyez direct et ne procédez pas par allusions. Est-ce que j'alluse,[69] moi?

Elle empoigne un élément de mobilier et se met à l'astiquer.

PÈRE.—Oh! Nom de Dieu![70] (*Furieux, il va se verser un verre d'eau, tandis que la mère, qui n'écoute rien, a choisi une belle aiguille, genre épingle à chapeau, dans un nécessaire de couture et va la piquer dans le schmürz.*) Je ne vous paie pas pour discuter.

CRUCHE.—J'ai un certain travail à vendre, je le vends. Au prix où vous le payez, vous n'êtes pas volé. Et en dehors de la vente, rien n'empêche le vendeur de discuter avec l'acheteur, surtout s'il n'y a pas fraude sur la marchandise. (*Elle flanque bruyamment son tablier par terre.*)[71] D'ailleurs, je ferme.

PÈRE.—Comment, vous fermez?

CRUCHE.—Je ne vends plus. Vous irez acheter ailleurs. Ou plutôt, j'irai vendre ailleurs.

ZÉNOBIE.—Cruche... tu t'en vas pour de vrai?[72]

CRUCHE.—Ecoute, il est vraiment trop bête, ton père... Où et quand est-ce qu'il se croit. Je suis la seule qui ne risque rien, ici...

PÈRE, *supérieur et sarcastique.*—Et pourriez-vous m'expliquer en quoi vous ne risquez rien?

CRUCHE.—Parce que je vends un travail très demandé par les feignants, les paresseux, les bons à rien, les inutiles, les oisifs, les éléments superfétatoires de la société, et que ces bêtes-là, ça abonde.[73]

---

[68] *This and the following expression are more polite ways of saying the same thing.*
[69] **j'alluse** *I allude, a neologism from* **allusion**
[70] **Nom de Dieu!** *a mild oath*
[71] **elle flanque... par terre** *she throws her apron violently on the floor*
[72] **pour de vrai** (*colloquial*) *for good*
[73] *The reason that Cruche gives for leaving provides an interesting social commentary on the changing relationship between master and servant. In modern society the latter is no longer dependent on the former.*

Courtesy Agence de Presse Bernand

Elle se coiffe de son chapeau de paille, saisit une petite valise et sort par la porte du palier.

Pere, *outré.*—Ma parole! Mais elle m'engueulerait![74]

Cruche revient, pose sa valise, embrasse Zénobie.

5 Cruche.—Au revoir, mon petit chat. Fais bien attention.

Elle reprend sa valise et sort.

Pere, *impératif.*—Cruche... vous oubliez quelque chose...

Cruche regarde autour d'elle, fixe quelques instants le schmürz, secoue la tête en signe de dénégation.[75]

10 Cruche.—Non... Je ne vois rien que j'oublie.

Elle sort et referme la porte.

Pere *se frotte les mains.*—Ouf. Bon débarras.[76] Cette fille devenait de plus en plus insolente. Je suis ravi. (*Il va cogner le schmürz.*) En outre, ça va nous faire des économies, et une pièce de plus, 15 pratiquement.

Zenobie, *froide.*—Je ne dormirai pas seule ici.

Pere.—Bon, bon... eh bien, tu dormiras à côté, avec nous...

Zenobie.—Je pourrais dormir seule à côté...

Pere *rit.*—Comme tu y vas! La plus belle chambre pour Mademoi-20 selle...

Zenobie.—Pourquoi a-t-on des enfants? Pour leur donner la chambre la plus moche?[77]

Mere.—Zénobie, ne te monte pas[78] comme ça... d'abord, on n'a pas toujours des enfants exprès...

25 Zenobie, *dure.*—Si on ne sait pas, on se retient.

Un silence.

---

[74] **elle m'engueulerait** (*colloquial*)   she would have bawled me out
[75] *This underlines the fact that Cruche mistreated the* schmürz *only unwillingly.*
[76] **bon débarras**   good riddance
[77] **moche** (*colloquial*)   lousy
[78] **ne te monte pas**   don't get upset

PERE.—Hum... (*A la mère:*) Je trouve qu'elle a *beaucoup* grandi.[79]

MERE.—Pouvons-nous encore la considérer comme une enfant?

PERE.—Elle est certainement voisine de l'âge adulte.

MERE.—C'est une adolescente, mais déjà formée.

PERE.—Il n'y aurait rien de ridicule à ce qu'elle fût mariée.   5

     Il va frapper le schmürz.

MERE.—Et si elle était mariée, ne serait-il pas juste qu'elle se sacrifiât
pour ses vieux parents?

PERE.—Il faut ajouter que nous sommes *déjà* installés dans la chambre
d'à côté...   10

    *La mère y va, tourne la poignée de la porte, et la porte ne
s'ouvre pas. Elle est subitement affolée.*

MERE, *voix basse et tendue.*—Léon!

PERE, *surpris, revient en s'essuyant la main.*—Qu'est-ce que tu as? Tu
m'as fait peur.   15

MERE.—Léon... la porte ne s'ouvre plus.

PERE.—Ne dis pas ça... il y a la valise noire et mon appareil photographique. (*Il va à la porte, essaie de l'ouvrir.*) C'est Cruche
qui l'a fermée à clé en s'en allant...

    *On entend, loin dehors, le Bruit, et tous s'immobilisent
sauf le schmürz.*   20

ZENOBIE, *indifférente.*—Cruche ne s'est pas approchée de la porte.

    Le père essaie encore une fois d'ouvrir sans y parvenir.

PERE.—Ce n'est pas fermé à clé... le bouton est comme bloqué...
soudé...

ZENOBIE *imite Cruche.*—Coincé... immobilisé... rivé... inébranlable...   25
impossible à remuer, et, pour ainsi dire, on peut pas le tourner.

    Elle éclate de rire et s'arrête très vite.

[79] *because by her previous statement Zénobie had shown a rather precise knowl-
edge of sex*

PERE *revient à la porte du palier, essaie de l'ouvrir et elle s'ouvre; puis jovial.*—Ah! Ah!... Je pensais bien que celle-là marchait encore... on a tort de s'alarmer trop vite... (*Il va cogner le schmürz en passant.*) Tout va bien...[80] il nous reste une pièce d'assez grandes dimensions, et, par bonheur, c'est de ce côté que se trouvent le réchaud et la toilette. (*Il rit.*) Vois-tu que nous ayons été enfermés dans l'autre chambre... (*A Zénobie:*) Qui, entre nous, n'avait rien d'exceptionnel, je t'assure... Tu seras beaucoup mieux ici, avec nous.

ZENOBIE.—Certainement.

PERE.—Il n'en reste pas moins que je me crois le devoir de prendre diverses précautions élémentaires. (*Il va à l'escalier, en éprouve la solidité.*) Hum... il me paraît plus chancelant qu'hier, tu ne trouves pas, Anna?

MERE.—Je n'ai pas fait bien attention, mais si tu le dis, mon chéri, c'est sûrement vrai...

> *Le père prend son élan*[81] *et essaie à plusieurs reprises*[82] *de gravir l'escalier en question.*

PERE.—Non... il a l'air de bien marcher encore... (*Il redescend.*) Organisons-nous. Où va-t-on faire coucher la petite?

ZENOBIE.—Par terre, je serai très bien.

> *Elle s'assied, porte la main à sa tête, oscille un peu.*

MERE.—Zénobie, ne sois pas stupide, nous allons t'installer un petit coin très confortable. (*Au père:*) Léon! J'ai une idée; tu pourrais peut-être emprunter au voisin le lit de Xavier.

PERE.—C'est une excellente suggestion... (*Il se frotte les mains.*) Encore qu'évidemment, cela me gêne un peu, étant donné son deuil si proche.

MERE.—Xavier aimait beaucoup la petite. (*Elle s'aperçoit que Zénobie n'a pas l'air d'aller bien.*) Mais qu'est-ce qui t'arrive, mon poulet vert?

---

[80] *This expression of optimism is reminiscent of Pangloss's* **tout est au mieux.**
[81] **prend son élan**   takes off
[82] **à plusieurs reprises**   several times

ZENOBIE.—J'ai un peu mal à la tête.

> *La mère s'approche et lui prend le pouls tandis que le père se gratte le menton et regarde autour de lui.*

MERE.—Ce n'est rien, un peu de fièvre...

ZENOBIE.—Je voudrais des oranges.   5

MERE.—Ecoute, mon petit chat, tu n'es pas raisonnable... tu sais bien qu'on les garde pour ton papa qui en a besoin à cause de sa santé...

ZENOBIE.—Oui... mais j'en voudrais quand même...

MERE.—Zénobie, représente-toi la situation actuelle. Nous n'avons   10
que très peu d'oranges et ton père est un homme adulte, un homme fait; ton père n'est plus une promesse, c'est un individu complet, achevé, qui a donné des preuves de... heu... des preuves. D'un autre côté, toi, une jeune fille, presque une enfant, tu es... disons un billet de loterie; on peut miser sur toi, certes mais il   15
y a un aléa. Je suis persuadée quant à moi, note-le, que tu arriveras à être quelqu'un de très bien, mais je crois que pour l'instant, entre la fleur et le fruit, il est sage de choisir le fruit.[83]

ZENOBIE.—C'est papa, le fruit?

MERE.—C'est une comparaison, et ce n'est que cela, mon petit, mais   20
elle est significative, vois-tu. La fleur doit se sacrifier au fruit.

ZENOBIE.—Ah!

> *Le père sort de sa méditation.*

PERE.—Le mieux, ce serait que la petite aille elle-même demander le lit de Xavier au voisin. Il ne peut pas dire non. Moi, cela me   25
met un peu mal à l'aise...[84] Ce n'est pas bien mon rôle...

MERE.—Elle ne demande sûrement pas mieux; et au fond, c'est pour elle, ce lit, veux-tu essayer d'y aller, ma perle fine?

ZENOBIE, *morte.*—Bien sûr... C'est parfaitement normal... Que chacun se démerde.[85]   30

---

[83] *The monstrous egotism of the parents is even more evident than in* Pique-nique en campagne.

[84] **cela me... aise**   that puts me ill at ease

[85] **que chacun se démerde** (*very vulgar*)   everyone on his own

Mère.—Comme cela, ce soir, tu auras un bon lit pour dormir...

Zenobie.—C'est essentiel...

    Elle se lève.

Pere.—Au reste, qu'est-ce que nous risquons, à lui demander ce lit,
5   au voisin? Hein? S'il accepte, il accepte, et s'il refuse...

Zenobie.—Il refuse.

Pere.—Voilà... c'est sans aucun danger.

Zenobie *s'appuie à la table.*—Toi, le danger, tu ne l'as jamais vu;
    comment peux-tu en parler?

10   Pere.—Je m'en rends compte quand il y en a. Tu te crois capable de le
    voir mieux que moi?

Zenobie *regarde le schmürz.*—Il y a longtemps que je le vois.

Pere.—Tu n'as tout de même pas peur du voisin.

    Il rit et va donner un coup au schmürz.

15   Zenobie.—Non... Je n'ai pas peur... du voisin...

    *Elle va à la porte du palier, l'ouvre. On la voit traverser,
    cogner à l'huis du voisin, attendre.*

Pere *crie.*—Insiste un peu... il est sûrement là...

    *La mère va agresser le schmürz. Le père s'assied avec un
20   livre. Zénobie cogne, essaie de tourner le bouton de la
    porte du voisin, revient et parle dans l'ouverture de la
    porte.*

Zenobie.—Sa porte a l'air d'être bloquée...

Pere.—Mais non, sonne voyons, ma cocotte... Tu es assez grande
25   pour faire seule une démarche aussi simple...

    *Zénobie hausse les épaules. Elle retraverse le palier, cogne
    à la porte du voisin. Le Bruit commence à retentir très loin.
    Elle hésite, va lâcher le bouton de la porte du voisin.
    Doucement, puis très vite, la porte palière du père se
30   referme et claque. On a entrevu Zénobie qui s'élançait*

*pour revenir, mais trop tard. Elle frappe contre l'huis qui
s'est refermé devant elle—le Bruit retentit de plus belle.*[86]
*Le père et la mère sont figés. La mère est atterrée, mais
immobile. Le père a lâché son livre. Le Bruit baisse.*[87] *La
mère va à la porte du palier, essaie de l'ouvrir. Son bras*   5
retombe. Le schmürz semble se marrer.[88] *La mère revient,
s'assied sur le lit, lisse machinalement la couverture. Les
coups de Zénobie ont cessé. Il n'y a plus que le silence.*

PERE.—Calme-toi, ma bonne... Les enfants finissent toujours par
quitter leurs parents. C'est la vie.   10

Il va frapper le schmürz.

---

[86] **de plus belle**   even more
[87] *It would be interesting to compare the role of the sound with the role of the
light in Beckett's* Comédie. (*See volume 1 of this anthology.*)
[88] **se marrer** (*colloquial*)   to laugh

TROIS

Une pièce plus petite que les précédentes. Mansardée.
Une fenêtre praticable, d'un bleu lumineux, on la sentira
très haute. Une porte bloquée, une arrivée d'escalier par
où va émerger le père. Il fait sombre. Aucun confort. Un
grabat. Une table. Une glace ébréchée. Un schmürz, pas
éclairé au lever du rideau. Pas d'escalier qui monte au-
dessus. D'ailleurs, pas de dessus. Le Bruit, en pleine ac-
tion, monotone et odieux, une vague lueur vient de l'ar-
rivée de l'escalier qui aboutit au sol de la mansarde. On
entend un sourd remue-ménage en bas. Des cris indis-
tincts poussés par la mère, puis la voix du père venue d'en
bas; il est en train de monter l'escalier comme au premier
acte.

PERE[1] *se retourne et crie.*—Le sac jaune... N'oublie surtout pas le sac
jaune, Anna, il y a le moulin-légumes[2] dedans... (*Il apparaît, tire*
des paquets avec force, les pousse devant lui, redescend deux
marches, même jeu.) Anna! Anna! Tu viens! Dépêche-toi,
voyons... Passe-moi le sac jaune. (*Il s'énerve.*) Mais non, tu ne
risques rien!... Passe-moi le sac jaune, je te dis, nous avons tout
le temps... (*Il émerge, pousse un sac devant lui, redescend.*)
La petite valise de fibre, maintenant. (*Murmure indistinct de la*
mère.) Mais si, Bon Dieu, elle est contre la table de toilette, je
l'ai préparée moi-même... (*Il redescend, saisit la petite valise de*

---

[1] *The whole last act consists of a long monologue by the father which may be
compared to the equally long and impressive soliloquy of Bérenger on which
Ionesco's* Le Tueur sans gages *ends. This form has taken on a great importance
in the contemporary theatre. Among the examples of plays consisting entirely of
monologues one could cite, among many others, Beckett's* La Dernière Bande,
Vauthier's *Le Personnage combattant and Pinget's* L'Hypothèse. (*See volume 1
of this anthology.*)
[2] **moulin-légumes** vegetable grinder, *a sort of manual blender. This is a very
common kitchen utensil in France.*

fibre, réémerge.) Je crois qu'il ne reste que le sac de linge. (*Voix de la mère: « Je n'aurai pas le temps.* ») Mais si, tu auras le temps, ah, là, là, que d'histoires[3] pour si peu de chose... (*Il redescend, on entend, poussé par la mère, un cri atroce.*) Anna! Anna! Que se passe-t-il? (*Il remonte prudemment.*) Mais si, je suis là, ma chérie... fais un effort... Redescendre te chercher? Voyons, Anna, ne fais pas l'enfant, j'ai les mains pleines de paquets... (*Un second cri, comme un râle.*) Anna! Ne joue pas à me faire peur, voyons, ce n'est plus de ton âge... (*Il recule prudemment, commence à sortir des outils et des planches et à murer la trappe—il penche l'oreille—le ton un peu inquiet, mais plus intrigué qu'inquiet:*) Anna! (*A lui-même:*) Enfin... ce n'est pas possible... elle ne répond plus? (*Il écoute, le Bruit s'interrompt soudain, on n'entend plus rien qu'un vague remue-ménage à l'étage au-dessous.*) Anna... Ce n'est pas une façon de laisser tomber les gens, tu sais... (*La lumière commence à venir de la fenêtre et va tomber sur un schmürz, debout dans un coin de la pièce. Le père, marteau en main, clous dans la bouche, achève fébrilement de murer la trappe en monologuant de façon hachée.*) Après vingt ans de mariage... abandonner un homme de cette façon-là... Les femmes sont tout de même incroyables... (*Il hoche la tête.*) Incroyables. (*Il cloue la dernière planche et se redresse.*) Là... ça doit aller comme ça... (*Il se relève—il parcourt la pièce des yeux—un temps de sursaut lorsqu'il voit le schmürz.*) Voyons... Hum... C'est gentil, ici... (*Il parcourt la pièce en longeant d'abord les murs.*) Les murs sont bons. (*Il lève la tête.*) Pas de fuites à la toiture. (*Il regarde les murs et essaie la porte, qui ne s'ouvre pas.*) Pas de porte, ou tout comme... ça veut dire, comme je le supposais, qu'il n'y aura plus de raison de s'en servir.[4] (*Il donne, en passant, un coup de pied au schmürz.*) Ce qui est parfaitement logique, n'importe qui le reconnaîtrait. Et je ne suis pas n'importe qui. Loin de là. (*Il s'immobilise.*) Qui suis-je? (*Il déclame:*) Récapitulation. Dupont Léon,[5] âge quarante-neuf ans, dentition[6] bien entretenue, vaccins élégamment répartis sur les membres, taille un mètre

---

[3] **que d'histoires**   what a fuss
[4] *another striking example of optimistic reasoning*
[5] **Dupont Léon**   *the French equivalent of* Smith, John
[6] **dentition**   permanent teeth

quatre-vingts,[7] ce qui est supérieur à la moyenne, on en con-
viendra, sain de corps et d'esprit. Intelligence que l'on a également des raisons de croire supérieure à la moyenne. Domaine
d'action: une pièce, ma foi, de taille largement suffisante pour
un homme... heu... pour un homme seul. (*Silence.*) Pour un
homme seul. (*Rire léger.*) Eh oui, pour un homme seul. Voilà.
(*Un temps.*) Question: que fait l'homme seul dans sa cellule?
(*Il se reprend.*) Cellule, le mot est trop fort... Il y a là une fenêtre largement suffisante pour livrer passage à un homme de
corpulence parfaitement normale, (*Il va à la fenêtre*) et lui permettre de (*Il regarde en bas, se retourne, revient*) se casser la
gueule[8] sur le pavé en tombant d'une hauteur de vingt-neuf
mètres et des fractions.[9] (*Il revient à la fenêtre.*) Il y a un petit
balcon sur lequel on pourrait, si l'on craignait de manquer de
distractions, ce qui n'est pas le cas, faire pousser, dans des pots,
des géraniums, des pois de senteur, des volubilis, des capucines,
des liserons, des chèvrefeuilles, des roses trémières. (*Il s'interrompt.*) Cette façon d'énumérer me rappelle, on ne sait trop
pourquoi, quelqu'un. Qui?[10] Tout le problème est là. Au reste,
quand je dis « faire pousser », c'est une façon de parler; entre
nous, ces végétaux se débrouilleraient bien eux-mêmes.[11] (*Il
revient au centre.*) Mais je m'étais posé une question. Que fait
l'homme seul dans sa... retraite. Hum. Retraite. Le mot n'est pas
très juste. C'est-à-dire qu'il est juste, évidemment, lorsque l'on
considère l'une de ses acceptions, courante d'ailleurs: l'ermite
dans sa retraite, le bénédictin fait retraite... Mais dans retraite,
il y a aussi retraite... fuite devant l'ennemi. Est-ce une fuite que
cette ascension?[12] Un homme (*Il va frapper le schmürz*) digne
de ce nom ne fuit jamais. Fuir, c'est bon pour un robinet.[13]

[7] un mètre quatre-vingts   *roughly* six feet
[8] se casser la gueule (*colloquial*)   to be smashed to pieces
[9] vingt-neuf... fractions   roughly ninety-five feet
[10] *It is Cruche, of course. The father's already defective memory seems to be
disintegrating completely.*
[11] se débrouilleraient bien eux-mêmes   could perfectly well shift for themselves
[12] *The father has now attained both the summit and perfect solitude. It is
possible to consider the structure of this play as a parody of the mystic ascent.
As the father moves ever higher he gradually divests himself of his belongings
and his family, everything that attaches him to the earth.*
[13] *a word play on the two meanings of* fuir: to flee *and* to leak

(*Il attend, ne rit pas.*) Non... ça ne me fait pas rire. C'est drôle.
Mais il est sage de remarquer, incidemment, que l'on *bat* en
retraite.[14] Et qui bat-on? L'ennemi. Ainsi, par un retour étrange
des choses, cette cellule... cette retraite... sera ma victoire sur
l'ennemi. Quel ennemi? (*Un temps.*) Voilà ce qu'il convient de
déterminer. (*Un assez long silence durant lequel il arpente la
pièce en tous sens pour finir par s'arrêter devant la valise de
fibre. Il reprend alors sur le ton du récit:*) Je n'ai pas atteint
l'âge d'homme sans avoir manifesté, comme tout individu libre,
mon attachement à cette entité invisible mais palpable, intan-
gible mais ô combien saisissante que l'on s'accorde à nommer
la patrie, encore qu'elle porte un autre nom dans les langues
étrangères.[15] Mes vertus ordinaires aidant,[16] j'ai même acquis au
service de ma patrie des titres à la reconnaissance de tous, dis-
crètement manifestée par quelques fleurettes[17] d'or sur la
manche du tissu rêche de ma vareuse. (*Il se baisse, va pour
ouvrir la valise de fibre, se redresse, s'interroge.*) Quel mobile
me pousse, en cet instant, à revêtir mon uniforme de connétable
de réserve?[18] Suis-je donc une bête, pour agir d'instinct? NON.
(*Il s'écarte de la valise.*) A la base de chacun de mes actes, il y
a une raison raisonnante, une réserve raisonnable, une intelligence active et quasi cybernétique,[19] à cela près qu'elle est régie
par une loi plus élevée que moi-même, le désintéressement. (*Il
se gratte le menton.*) Indéniablement, le Bruit est la cause de
mon ascension. Et pourquoi revêtirais-je mon uniforme en en-
tendant un bruit? Ah, si quelque estafette était entrée dans la
pièce, couverte de sang et de boue sèche, brandissant un mes-
sage cerné de noir et lourd d'une amère signification, s'écriant
« Alerte! » ou... « Aux armes » et s'écroulant héroïquement sur

[14] *The idiom is the same in English:* one beats a retreat.
[15] *This bombastic rhetoric is a satire of patriotic speeches.*
[16] **mes vertus... aidant**   with the help of my simple qualities
[17] **fleurettes**   little flower-like decorations; *a humorous version of military braid*
[18] *In the Middle Ages the* **connétable** *was the highest military rank in the French royal army. Combining this with* **de réserve** *underlines the humor. The expression could be translated as* reserve military governor.
[19] *The father uses a technical language—***raison raisonnante** *and* **cybernétique**—*which in this context means nothing. Although there is no one left, he is still talking as if to impress others. He is a truly Sartrian character always acting* **pour autrui.**

le sol, certes en pareil cas je me trouverais justifié de... (*Il tapote la valise du pied.*) Mais que s'est-il passé? J'ai entendu un Bruit. Je suis monté. (*Il va au schmürz.*) La situation est identique à ce qu'elle était plus bas, à quelques détails matériels près. Et je suis complètement indifférent aux détails matériels. Donc. (*Il est gagné par l'évidence.*) Donc, puisque (*il cogne le schmürz*), puisque tout est identique, c'est à la source qu'il faut frapper... c'est le Bruit qui est cause de tout. (*Il ricane.*) J'ai feint, un temps, de ne pas l'entendre lorsqu'il venait à retentir. Oui... la façade... devant la famille. (*Il s'arrête.*) ... Ma famille? J'avais donc une famille. (*Il réfléchit.*) ...Par moments, c'est à croire que je me suis approprié les souvenirs de quelqu'un d'autre. (*Il rit.*) De quelqu'un d'autre, alors que je suis tout seul... c'est impayable.[20] Pour en revenir à ce bruit, on ne m'ôtera pas de l'esprit que c'est un signal. (*Il s'interrompt. Pensif:*) J'étais sûr que c'est uniquement l'absence de calme réel qui m'interdisait de découvrir la source et les fondements des choses. (*Avec satisfaction:*) En voilà-t-il pas la preuve? Je sens que je suis sur le chemin d'une découverte énorme. (*Un temps.*) Un signal. Un signal d'alerte, d'abord. *Mon* signal d'alerte. Mais cela, c'est le rôle qu'il joue pour moi. Ce signal, qui le fait retentir? (*Un temps.*) Supposons le problème résolu. Je fous le camp.[21] (*Il se reprend.*) Non... Je monte un étage. Bon. Pourquoi? Parce que j'entends le signal. Il va de soi que ce signal est donc dirigé *contre* le fait que je reste. Qui cela peut-il donc gêner que je reste? (*Il va cogner le schmürz.*) Je me le demande et je me le demanderai toujours. Mais le monde est ainsi fait. Ce signal est dirigé *contre* moi. Il est donc agressif. C'est un signal d'attaque. (*Il revient à la valise.*) Que l'on ait envie d'attaquer un homme comme moi, cela me plonge dans la stupeur. Mais une chose est sûre. Qui dit attaque dit défense. Et qui dit défense... (*Il se penche et ouvre la valise, et en retire son uniforme qu'il déploie.*) Heureusement, question défense, je suis paré. (*Il défripe son uniforme.*) Connétable de réserve... ce n'est pas grand-chose, peut-être... mais ils y regarderont à deux fois.[22] (*Il commence à se changer, ôtant ses vêtements qu'il va rem-*

---

[20] **c'est impayable** what a good joke
[21] **je fous le camp** (*colloquial*) I get the hell out
[22] **ils y... fois** they'll look twice (*before they leap*)

placer par l'uniforme.) Me voici donc éclairé sur ma situation.[23]
On m'attaque. Je me défends. Ou du moins, je me prépare à me
défendre. (*Il regarde.*) En raison de l'absence d'issues dans cette
pièce, j'incline, ai-je dit, à croire que les attaques sont désormais
sans objet. Si l'on voulait que je m'en aille d'ici, ai-je déjà noté,
on m'en aurait donné les moyens. (*Un temps, il ajuste son uniforme.*) Mon sabre... (*Il va à un autre des colis, en retire son
sabre qu'il ceint.*) Je mettrai le képi en temps voulu, et s'il y a
lieu.[24] (*Un temps.*) Je me rappelle... (*Un temps, puis froid:*)
Non, je ne me rappelle pas. Un homme de mon âge ne vit pas
dans le passé. Je suis en train de construire l'avenir.[25] (*Il s'approche du schmürz dans le silence, lentement, puis soudain il se
jette sur lui, le terrasse et commence à l'étrangler, longtemps.
Il parle, ce faisant, d'une voix parfaitement naturelle.*) Je crois
que ce qui fera le mieux sur la fenêtre, ce sera des pois de senteur.
Et j'aime leur parfum. (*Il se redresse, le schmürz gît, inerte,
mais dans quelques minutes, il va se remettre à grouiller et se
redresser.*) Des pois de senteur que je moissonnerai en temps
voulu, le moment venu, le cas échéant,[26] c'est-à-dire grosso
modo[27] lorsqu'ils seront en fleur. Car j'aime les fleurs. (*Il se regarde.*) Un guerrier qui aime les fleurs, cela paraît saugrenu, et
pourtant j'aime les fleurs.[28] (*Un clin d'œil.*) Est-ce à dire que je
ne serais pas un guerrier? (*Un temps: il se redresse et annonce:*)
Confession. En réalité—et quel moment mieux choisi pour cerner la réalité, tel l'épervier sa victime, que celui où l'homme,
isolé par la force des choses, se trouve devant son âme nue qu'il
regarde bien en face,[29] comme un naturiste honnête n'hésite pas
à dévisager les parties[30] de son voisin pour voir si, d'aventure,[31]
elles seraient plus grosses que les siennes—ce qui, sans doute, ne

[23] *Actually, despite all of his reasoning, the situation is less clear than before.*
[24] **en temps... lieu**   in plenty of time and if the need arises
[25] *This statement helps to explain the title of the play.*
[26] **le cas échéant**   should the occasion arise
[27] **grosso modo**   *a Latin expression, frequently used in French, meaning* roughly
[28] *It is a well-known phenomenon that the cruelest people are prone to be the
most sentimental about flowers and animals.*
[29] **bien en face**   squarely
[30] **parties**   private parts. *The extended nature of this metaphor obscures somewhat its shocking content; the man who looks at his bare soul is like a Peeping
Tom in a men's room.*
[31] **d'aventure**   perchance

signifie rien, mais l'habitude de juger d'après les apparences
extérieures est ancrée au cœur de l'homme telle l'arapède[32] à
son caillou—en réalité, malgré cet uniforme, je suis, et ne fais en
cela que manifester une caractéristique nationale, foncièrement
5   antimilitariste. (*Un temps.*) On se perd souvent en conjectures
sur les raisons qui font éclore au sein de tout un peuple le goût
et le désir de l'uniforme. (*Il ricane.*) Ah... Ah... Ah... Le motif
est pourtant simple. La raison d'être du militaire, c'est la guerre.
La raison d'être de la guerre, c'est l'ennemi. Un ennemi habillé
10   en militaire est deux fois un ennemi pour un antimilitariste. Car
un antimilitariste n'en a pas moins des sentiments nationaux et
cherche donc à nuire à l'ennemi de sa nation. Or, quel meilleur
moyen, si cet ennemi est habillé en militaire, que de lui opposer
un autre militaire? Il s'ensuit de ce qui précède que tout anti-
15   militariste a le devoir d'entrer dans l'armée; et ce faisant, il ac-
complit trois exploits: d'abord, il irrite le militaire ennemi; acces-
soirement, il déplaît sur son propre sol, au soldat d'une autre
arme, l'uniforme ayant ceci de beau qu'entre uniformes différents, on se déteste; mais il se transforme en outre en élément
20   d'une armée qu'il abomine et qui, de ce fait, sera une mauvaise
armée. Car une armée antimilitariste porte en elle-même son
cancer et ne saurait s'opposer à une armée véritable, composée
de civils patriotes.[33] (*Il se gratte le menton.*) Mon ennemi serait-
émettre mes opinions sur d'autres grands problèmes de
25   l'homme... mais n'est-ce pas un leurre? et les grands problèmes
l'examen des réalités tangibles, audibles, en un mot accessibles
à nos organes de perception. Car il y a des moments où je me
demande si je ne suis pas en train de jouer avec les mots. (*Un
temps—il regarde par la fenêtre.*) Et si les mots étaient faits pour
30   cela?[34] (*Un temps, puis il annonce:*) Retour à la réalité. (*Il
change de ton.*) Ce retour à la réalité, qui interrompt une confession pourtant bien amorcée, me paraît essentiel. Il se trouve
en effet que j'ai des idées sur à peu près tout; il n'est que de
constater ce que j'ai découvert à propos d'un uniforme—et quel

---

[32] **arapède** *a Provençal word for* **patelle,** *meaning* patella, *a type of mollusc
akin to the barnacle which attaches itself firmly to stones*
[33] *This whole passage is a biting satire of those militarists who claim to be anti-
militarists.*
[34] *This is a question which has tormented many writers but which does not
occupy the father very long.*

uniforme banal que celui d'un connétable de réserve—pour s'en
persuader. J'aurais pu, et tout le monde n'en est pas capable,
émettre mes opinions sur d'autres grands problèmes de
l'homme... mais n'est-ce pas un leurre? et les grands problèmes
de l'homme ne se posent-ils pas uniquement lorsqu'il vit en   5
société. (*Un temps.*) Or, je suis seul. Je l'ai déjà dit. (*Il se retourne et voit le schmürz qui s'est relevé et qui a changé de place,
se rapprochant de la fenêtre. Il a une sorte de haut-le-corps,*[35] *on
a l'impression qu'il comprend pour la première fois qu'il n'est
pas devant un objet. Il parle comme pour se défendre:*) J'ai tou-   10
jours eu l'impression d'être seul, en tout cas. (*Un temps.*) Il
faudrait une évidence... une preuve nette de changement pour
m'amener à réviser cette impression voisine de la certitude. Ai-je
eu tort, ai-je eu raison de récapituler avant de répertorier... de
faire passer la synthèse avant l'analyse? (*Il se tâte les yeux.*)   15
Je vois. (*Il se tâte les oreilles.*) J'entends. (*Il s'arrête et annonce:*)
Inventaire.[36] (*A partir de ce moment, il va éviter le schmürz de
plus en plus systématiquement et le schmürz, au contraire, va le
suivre des yeux avec une attention de plus en plus soutenue.*)
Le monde n'a pas de raison de s'étendre très au-delà des murs   20
qui m'entourent; ce qui est sûr, c'est que j'en suis le centre.[37]
(*Il s'interroge.*) Vais-je faire la liste de mes organes internes?
Ce serait peut-être pousser l'analyse trop loin (*il réfléchit*) et je
ne connais mon intérieur que par ouï-dire et de façon vague.
Il est possible que mon cœur fasse circuler mon sang, mais s'il   25
se trouvait que le mouvement de mon sang fût la cause réelle
des battements de mon cœur... (*Il s'interrompt.*) Non, l'extérieur
seulement. (*Il va au miroir ébréché.*) Avec l'aide de cet ustensile,
je progresserai plus vite. (*Il se regarde dans le miroir et reprend
le ton du récit.*) Je me suis toujours demandé pour quel motif   30
un homme est amené à désirer orienter son aspect physique, et,
notamment à se laisser pousser la barbe. (*Il se caresse la barbe.*)
Donc, soucieux de répondre à cette question, je me suis laissé

---

[35] **haut-le-corps**   sudden start
[36] *This need to make an inventory in order to reassure oneself is a common
trait in contemporary literature. It is one of the major subjects of both Pinget's
and Beckett's works. The father's attempt could be compared to Winnie's con-
stant taking stock of her meager possessions in Beckett's* Oh les beaux jours.
[37] *The previously noted egotism of the father goes to the point of anthropocen-
trism.*

pousser la barbe. Et je me trouve en mesure d'affirmer que de motif, il n'y en a pas. J'ai laissé pousser ma barbe pour voir *pourquoi* on se laissait pousser la barbe. Et je n'ai rien trouvé qu'une barbe. La barbe est la raison de la barbe. (*Il change de ton.*) Bon début; non, décidément, mes capacités ne sont pas affaiblies par l'altitude.[38] (*Il se penche, gêné, la main sur le front.*) Il me semble qu'autrefois, nous étions plusieurs ici... et qu'il faisait moins chaud. (*Il défait la ceinture de son uniforme qu'il va ôter peu à peu.*) Cette mansarde m'attriste. (*Il change de ton.*) Nous étions plusieurs, mais je conservais la majorité absolue. Nous avons cessé d'être plusieurs, et je sens ma majorité qui s'effrite. Paradoxe, à coup sûr, paradoxe... (*Il change de ton, s'affaire près d'une valise.*) J'avais jadis un revolver, outre mon sabre (*il a défait le baudrier et le sabre*) et je préférerais mon revolver. (*Il trouve le revolver, le vérifie.*) C'est une arme légère, bien en main, qui doit me permettre de reconquérir les sièges perdus...[39] (*Il le prend, vise diverses choses et vise enfin le schmürz qui ne bouge pas et qui continue à le suivre des yeux dans ses mouvements. Il baisse enfin le revolver.*) J'en étais à ma barbe. Elle vit, puisqu'elle pousse, et si je la coupe, elle ne crie pas. Une plante non plus. Ma barbe est une plante. (*Il va à la fenêtre.*) Des capucines, à la place des pois de senteur? Je pourrais les manger en salade... Harmonieuse combinaison de l'os, de la chair, et du système pileux[40] qui réunit en l'homme le règne animal, le minéral et le règne végétal. (*Il réfléchit.*) On peut en dire autant de n'importe quel bestiau[41] velu. (*Il se ressaisit.*) A ceci près que l'homme est le seul animal qui ne soit pas un animal. (*Brusquement, il lève son revolver, tire sur le schmürz qui ne bronche pas.—Un temps.—Il reprend d'une voix un peu tremblante:*) Autant qu'il m'en souvienne, ce revolver était chargé à blanc,[42] sans cela, évidemment, je n'aurais pas la fantaisie de tirer sur les cloisons de ma chambre, au risque de

---

[38] *On the contrary, his already weak reasoning powers seem to have deserted him completely as the preceding passage shows all too clearly.*
[39] *He is referring to the seats of his lost majority.*
[40] **système pileux**   capillary system
[41] **bestiau**   *an unusual form of* **bestiaux** (cattle *or* beasts) *which may be used only in the plural. This grammatical misuse underlines the bestial connotations of the word.*
[42] **chargé à blanc**   loaded with blanks

blesser quelqu'un. (*Il va commencer à tourner autour du schmürz comme autour d'un serpent éventuellement fascinateur.*) Les gens qui se laissent entraîner à des actes aussi inconsidérés ne méritent pas qu'on les décore du titre de roseaux pensants...[43] et pourtant, elle tourne...[44] (*Il tire dans la fenêtre, une vitre se brise avec fracas.*) Chargé à blanc...[45] (*Il regarde le revolver, le jette.*) En ce qui me concerne, cet individu peut aller se faire foutre;[46] il faut avoir le temps, pour un inventaire, et je n'ai pas le temps. Je l'avais naguère, sur ma cheminée, dans une boîte.[47] (*Il s'agenouille, pose son oreille sur le sol, écoute.*) Ils ont dû oublier de la remonter.[48] (*Il a retiré son uniforme, il se trouve en caleçon long.*) Je n'ai plus le temps. Je ne l'ai jamais eu. (*Un silence.*) La vie est un scandale. (*Il regarde ses jambes, se gratte le menton.*) Il faut que je me vête. (*Il va fouiller parmi ses valises et en retire une tenue classique, pantalon rayé et jaquette noire.*) Voilà un costume qui me rappelle quelque chose. Une cérémonie.[49] (*Il hoche la tête.*) Non... je ne tirerai rien des objets.[50] (*Il laisse choir sa jaquette et remet le vêtement qu'il portait au début.*) Comme ça, je me sens mieux, il n'y a pas à dire.[51] (*Il repère un mouvement du schmürz et fait un écart. Un temps long.*) Le sentiment de la solitude chez l'individu adulte peut-il se développer autrement qu'au contact de ses semblables? Non. S'il en est ainsi, ce sentiment de solitude que j'ai toujours éprouvé, je le tenais sans doute d'une ou de diverses personnes hypothétiques dont j'étais—peut-être—entouré. Je

[43] *This is a reference to Pascal who in his* Pensées *had referred to man as a* roseau pensant—a *thinking reed—in order to demonstrate what he called* la grandeur et la misère de l'homme.

[44] *When Galileo was forced to apologize for having supported the Copernican theory that the earth revolves, he is supposed to have said* Eppur, si muove! *This Italian expression is usually translated in French by* Et pourtant, elle se meut! *This phrase is used to indicate the impossibility of denying physical evidence.*

[45] *The father refuses to admit the truth to himself, even in the face of such clear evidence.*

[46] peut... foutre (*colloquial*)   can go to hell

[47] *The father is referring to the clock that was left two floors below.*

[48] la remonter   to wind it up. *This seems symbolic; like the clock, everything seems to be running down.*

[49] *The morning coat reminds the father dimly of his wedding. What had previously been his one happy memory is now almost forgotten.*

[50] *a reference to the theory of involuntary memory exploited by Proust, according to which an object can serve to evoke the reality of the past*

[51] il n'y a pas à dire   there's no question about it

hasarde tout ceci pour faciliter le travail de raisonnement auquel je me livre (*durant ce qui suit, il va prendre quelques objets dans ses bagages et les approcher du schmürz en guise d'hommage, comme on dépose des offrandes*) en ce moment. Si je me sentais seul, c'est que je n'étais pas seul. Il s'ensuit que si je continue à me sentir seul... (*Il s'interrompt, va à la porte, essaie de tourner le bouton et la martèle dans un accès de rage désespérée.*) Ce n'est pas vrai... Je *suis* seul... et j'ai *toujours* fait mon devoir... plus que mon devoir. (*Un temps.*) Nous courons à toutes jambes[52] vers l'avenir, et nous allons si vite que le présent nous échappe, et la poussière de notre course nous dissimule le passé. D'où l'expression bien connue... heu... d'où la centaine d'expressions bien connues que je pourrais énumérer... (*Il commence à avoir le souffle court[53]—un temps, il reprend d'un ton trés différent, la voix blanche:[54]*) Je ne suis pas seul, ici. (*Un très long temps pendant lequel il cherche quelque chose sans le trouver, sans quitter des yeux le schmürz. Le Bruit commence à se faire doucement entendre, d'abord très lointain et va se rapprocher très, très doucement.*) Fermer les yeux devant l'évidence est une méthode qui n'a jamais rien donné...[55] Un aveugle, passe encore...[56] (*Il s'interrompt.*) Je n'entends rien. (*Plus fort:*) Je n'entends rien. (*Il déniche, dans le paquet jaune, le moulin-légumes et le saisit, et tourne la manivelle d'un geste las.*) En ce temps-là, il restait au moins l'espoir d'une génération future qui laverait le linge sale de ses aînés dans un moulin-légumes.[57] (*Il crie, tandis que le bruit monte.*) Je n'entends rien!!! (*Il jette le moulin-légumes, regarde ses mains.*) Ces mains-là sont blanches.[58] (*Il regarde la fenêtre.*) L'idée des capucines n'était pas si mauvaise, après tout, mais je pense que le chèvrefeuille me donnera des satisfactions d'un autre ordre... plus élevé. Ça

---

[52] **à toutes jambes**   at full speed
[53] **à avoir... court**   to run out of breath
[54] **la voix blanche**   tonelessly
[55] *and yet this has always been the father's method, and this is what he continues to do*
[56] **passe encore**   well and good
[57] *This image, an expression of the father's deep-rooted egotism, becomes grotesquely powerful because it is the deformation of a very common phrase (to wash one's dirty linen in public), combined with a derisory object, the vegetable grinder.*
[58] *The father still insists on his innocence.*

ne se mange pas... je contrôlerai mes appétits. (*Il hurle:*) Je le
jure! Je contrôlerai mes appétits! (*Il hausse les épaules.*) Pour
mieux m'en rendre compte et mieux les assouvir. (*Il se jette à
genoux et hurle:*) Je n'entends rien! Je n'entends rien! (*Le bruit
cesse soudain, le schmürz s'affaisse, visiblement mort,*[59] *le long   5
du mur où il se tenait. On entend des coups à la porte. Le père
se relève.*) Des comptes? Je n'ai pas de comptes à rendre... J'ai
toujours été seul. (*Les coups se font plus insistants, il se rapproche de la fenêtre, l'obscurité se fait peu à peu.*) Le chèvrefeuille, ça ne vaut pas les liserons... le liseron, c'est frais, c'est   10
naturel. (*Les coups s'accentuent, il se rue vers la fenêtre, en-
jambe l'appui.*) J'ai toujours été seul... dans la poussière du
passé, je ne distingue rien (*il chancelle, son pied glisse, il reste
accroché à la fenêtre*), elle couvre les gens comme des housses...
des meubles... C'étaient des meubles... ce n'étaient que des   15
meubles. (*Les coups ont cessé, le Bruit reprend soudain extrême-
ment proche, il tâtonne, cherche un appui pour son pied.*) Je ne
savais pas... Pardon... (*Il glisse et tombe en hurlant:*) Je ne savais
pas...

Le Bruit envahit la scène, et le noir, et peut-être que la   20
porte s'ouvre et qu'il entre, vagues silhouettes dans le noir,
des schmürz...

[59] *The fact that the* schmürz, *invulnerable up to this point even when shot at,
dies just as the father's moment of death approaches, seems to lend some weight
to the interpretation that the* schmürz *represents the human conscience.*

questions

1. Dans quelle mesure cette pièce réunit-elle les thèmes de l'existentialisme et ceux du théâtre de l'absurde?
2. Comment pourrait-on soutenir la thèse que le schmürz représente la mortalité de l'homme?
3. Comment pourrait-on expliquer l'apparition possible de plusieurs schmürz à la fin de la pièce?
4. Dans quelle mesure un symbole ouvert (tel que le Bruit) renforce-t-il ou affaiblit-il la structure dramatique de la pièce?
5. Par quels moyens l'auteur crée-t-il une image poétique de la souffrance humaine?

vocabulaire

abaque *m.* counting frame, abacus
abonder to abound
abord: d'— first
aboutir to end up
abri *m.* shelter
abricot *m.* apricot
s'abriter to take shelter
abstrait abstract
abuser to take advantage of
accabler to overwhelm
s'accentuer to become stronger
accorder to grant
accrocher to hang, hook
acheter to buy
acheteur *m.* buyer
achever to finish, complete
acquérir to acquire
admettre to permit
affaiblir to weaken
s'affairer to bustle about
affaires *f.* belongings
s'affaisser to collapse
s'affaler to collapse
affectueux affectionate
affirmer to assert
affoler to drive mad; s'— to become
  panicky
affreux horrible
s'agenouiller to kneel down
agir to act; s'— de to be a question
  of

aider to help
aigre sharp
aiguille *f.* needle
ailleurs elsewhere; d'— moreover
aimable friendly
aîné elder
air *m.* appearance
ajouter to add
aléa *m.* risk, hazard
alerte *f.* alarm
aller to go; — de soi to go without
  saying
allo hello
allonger to stretch out
allumer to light
âme *f.* soul
amener to bring
amer bitter
amorcer to start
ancien former
ancrer to anchor
ange *m.* angel
anguille *f.* eel
annoncer to foretell, announce
apercevoir to notice, see
apparaître to appear
appareil *m.* device, machine;
  — photographique camera
apporter to bring

107

apprendre   to learn, teach
apprêter   to get ready
approcher   to come near
appui *m.*   windowsill, support
appuyer   to lean against, emphasize, push
arbitre *m.*   umpire
arbre *m.*   tree
arme *f.*   weapon, branch (*of the military*)
arpenter   to pace up and down
arracher   to tear off
arranger   to fix
arrêter   to stop
arriver à   to succeed in, happen to
articulation *f.*   joint
aspirateur *m.*   vacuum cleaner
asseoir   to seat
assez   enough, rather
assiette *f.*   plate
assommer   to beat up
assourdissant   deafening
assouvir   to sate, appease
assurer   to reassure
astiquer   to polish
attacher   to tie up
atteindre   to reach
attendre   to wait for; s'— à to expect
attention: faire —   to watch out
atterré   crushed, struck with consternation
attrister   to sadden
auparavant   before
autel *m.*   altar
autre   other
autrefois   formerly
avancer   to move forward
avantageux   flattering
avant-coureur   premonitory
avant-hier   the day before yesterday
avenir *m.*   future
avertissement *m.*   warning
aveugle   blind
avion *m.*   airplane
babiller   to babble
baisser   to lower
balayer   to sweep out
balcon *m.*   balcony

balle *f.*   bullet
ballot *m.*   bundle
barbe *f.*   beard
barbu   bearded
barrer   to block up
bas   below, low
bataille *f.*   battle
bâtisseur *m.*   builder
battement *m.*   beating
battre   to beat; se — to fight
baudrier *m.*   crossbelt
bavard   talkative
bavarder   to chat
beau: avoir —   to do in vain
besoin *m.*   need
bête   stupid
bête *f.*   animal
billet *m.*   ticket
blanc   white, blank, toneless
blanchisserie *f.*   laundry
blesser   to wound
bleu   blue
blottir   to snuggle
boire   to drink
bois *m.*   wood
boîte *f.*   box; — à outils   tool chest
boiter   to limp
bomber   to bulge; — le torse   to throw out one's chest
bonheur *m.*   happiness, good fortune
bonne *f.*   maid
bord *m.*   edge
borner   to limit
botte *f.*   boot
bouche *f.*   mouth; — bée   open-mouthed
boucher   to stop up, block
boucher *m.*   butcher
boue *f.*   mud
bouger   to move, stir, budge
bouillir   to boil
boule *f.*   ball; — de gomme   gum
boulet *m.*   canon ball
bourgeon *m.*   bud
bout *m.*   end
bouteille *f.*   bottle
brandir   to brandish
branlant   shaky
bras *m.*   arm

briser to break
broc *m.* pitcher
broncher to flinch
brosser to brush
bruit *m.* sound, noise
buffet *m.* cupboard
bulle *f.* bubble
bureau *m.* desk
cabinet *m.* toilet
cacher to hide
cachette *f.* hiding place
cafard *m.* cockroach
cahier *m.* notebook
caillou *m.* pebble
cajoler to coax
caleçon *m.* underpants
camarade *m.* comrade
camisole *f.* jacket
campagne *f.* country
canne *f.* cane
cantonade *f.* wings (*of a theatre*);
  parler à la — to speak "aside"
cap *m.* cape
caporal *m.* corporal
capucine *f.* nasturtium
carafe *f.* pitcher
carreau *m.* square
carte *f.* card, map
carton *m.* cardboard, score
casier *m.* rack
casque *m.* helmet
casser to break
causant talkative
cave *f.* cellar
céder to give way, yield under
ceindre to put on
ceinture *f.* belt
cellule *f.* cell
cendrier *m.* ash tray
censé presumed
cerner to surround, encompass
cesser to cease
chair *f.* flesh
chaise *f.* chair
chaleur *f.* heat
chambre *f.* bedroom
champ *m.* field
chance *f.* luck
chanceler to stagger, shake

chandail *m.* sweater
chapeau *m.* hat
chas *m.* eye (*of a needle*)
chasser to drive away
chat *m.* cat
chaud hot
chaussure *f.* shoe
chemin *m.* road
cheminée *f.* fireplace
cheminer to wander
chêne *m.* oak
cher expensive, dear
chercher to look for
chéri darling
cheval *m.* horse
chèvre *f.* goat
chèvrefeuille *m.* honeysuckle
chiffon *m.* rag
choir to drop
choisir to choose
chose *f.* thing
ciel *m.* heaven
circonstance *f.* circumstance
cire *f.* wax
cirer to wax
ciseaux *m. pl.* scissors
civière *f.* stretcher
civil *m.* civilian
clair clear, light
claquer to slam, crack; — des doigts
  to snap one's fingers
clé *f.* key
clin d'œil *m.* wink
cloison *f.* partition
clou *m.* nail
clouer to nail
cochon *m.* pig
cocotte *f.* sweetheart
cœur *m.* heart; à — seriously
cogner to beat, to knock
coiffer to don (*a hat*)
coin *m.* corner
coincer to jam
colère *f.* anger; en — furious
colis *m.* package
coller to glue
combat *m.* fight, struggle
commencer to begin
compagne *f.* companion

comparaison *f.* comparison
compenser to make up for
comporter to include
comprendre to understand
compte *m.* account; à mon — on my own; se rendre — de to realize
compter to count
concevoir to understand
conduire to lead
confiance *f.* confidence; en toute — really
confiture *f.* jam
confondre to confuse
connaître to know
consacrer to devote
conseil *m.* advice
conseiller *m.* counselor
conserver to keep
constater to note
construire to build
contenir to contain
convaincre to convince
convenir to admit, be fitting
copain *m.* buddy
corbeille *f.* basket
corps *m.* body; — de garde guard room
costume *m.* dress
côté *m.* side; à — de next to
cou *m.* neck
coucher to lie down, sleep
coude *m.* elbow
couler to flow
coup *m.* blow, tap; à — sûr surely; — de fusil shot; — de main help; — de pied kick; — d'œil look; tout à — suddenly
couper to cut; — la parole to interrupt
cour *f.* courtyard
courant common; au — in the know
courber to bow
courir to run
course *f.* running, race
court brief
courtepointe *f.* counterpane
couvert *m.* (*table*) setting; mettre le — to set the table
couverture *f.* blanket

couvrir to cover
cracher to spit
craindre to fear
cran *m.* notch
cravache *f.* whip
cravacher to whip
crème *f.* cream
crépitement *m.* crackling
cri *m.* cry
croire to think, believe
croître to grow
croix *f.* cross
croulant crumbling, tottering
croupe *f.* rump
cuir *m.* leather
cuire to cook
cuisine *f.* kitchen
cuisse *f.* thigh
culotte *f.* pants
curé *m.* priest
cuvette *f.* washbowl
dandiner to sway, rock
davantage more
déballer to unpack
debout standing
début *m.* beginning
déceler to discover
décharge *f.* discharge
déclouer to unnail
déconcerté abashed
découverte *f.* discovery
découvrir to discover, find
défaire to undo
défendre to prohibit, defend
défriper to smooth out
dégager to disengage
dégoûter to disgust
dehors outside
déjeuner to eat lunch
demande *f.* request
demander to ask; se — to wonder
démarche *f.* approach, gait, step
dénégation *f.* denial, refusal
dénicher to unearth
dénommer to name
dent *f.* tooth
dentelle *f.* lace
se dépêcher to hurry
dépens *m.* expense

déplaire   to displease
déployer   to unfold
déposer   to set down
dépréciatoire   belittling
déraisonner   to talk nonsense, rave
déranger   to disturb
dériver   to drift
dernier   last, latter
derrière m.   behind
descendre   to come down, get off, shoot down
désespéré   hopeless
désespoir m.   despair
désigner   to point out
désintéressement m.   impartiality, unselfishness
désolé   sorry
désordre m.   disorder
desservir   to clear the table
dessous   underneath
dessus   on top of
détacher   to untie
se détendre   to relax
détourner   to turn away
détricoter   to unravel
deuil m.   mourning
devenir   to become
dévider   to unwind
dévisager   to stare at
devoir m.   homework, duty
dimanche m.   Sunday
diriger   to direct; se — to move
discours m.   speech
discuter   to argue
disparaître   to disappear
disparition f.   disappearance
disque m.   record; passer un — to put on a record
dissimuler   to hide
distraire   to amuse
distraitement   listlessly
divan m.   sofa
doigt m.   finger
donner   to give
doré   gilded
dormir   to sleep
dos m.   back
doucement   gently, slowly
doué   gifted

douleur f.   pain, sorrow
doux   gentle, soft
dragon m.   dragoon
dresser   to rise, erect, draw up
droit m.   right
droit   right
drôle   funny
dur   hard
durée f.   duration
durer   to last
eau f.   water
ébréché   chipped
écaillé   peeling, scaling
écart m.   divergence
écarter   to move aside
échanger   to exchange
échapper   to escape
écharpe f.   sling
éclairage m.   lighting
éclaircir   to shed light on; s' — la voix to clear one's throat
éclairer   to enlighten, shed light on
éclater   to burst, blow up
éclore   to blossom
écouter   to listen
s'écrier   to shout
s'écrouler   to fall, collapse
s'effondrer   to collapse
effrayer   to frighten
s'effriter   to crumble
également   also, equally
s'élancer   to leap, spring forward
élégamment   elegantly
élève m.   pupil
élever   to bring up, raise
s'éloigner   to turn away
emballer   to wrap up
embêtant   annoying
s'embêter   to be bored
embouteillage m.   traffic jam
embrasser   to kiss
émettre   to give off
emmener   to take along
empêcher   to prevent; n'empêche que nonetheless
emplacement m.   position
empoigner   to grab
emporter   to take away
emprunter   to borrow

enchaîner to continue
encore again, still; **pas —** not yet
endroit *m.* place
s'énerver to lose one's temper
enfant *m.* child
enfermer to shut up, lock up
s'enfler to swell
enjamber to step over
enlacer to intertwine
enlever to take away
ennui *m.* trouble
ennuyer to bore, annoy
enseigner to teach
s'ensuivre to follow
entendre to understand, hear, mean;
  s'— to get along with
enterrer to bury
entité *f.* entity
entourer to surround
entraîner to carry away
entretenir to keep up
entretien *m.* upkeep
entrevoir to perceive
énumérer to list
envelopper to wrap up
envers *m.* reverse side; **à l'—** back-
  wards
envie *f.* desire; **avoir —** to want
envoyer to send, throw
s'épanouir to bloom
épaule *f.* shoulder
épée *f.* sword
épervier *m.* hawk
épingle *f.* pin
éplucher to peel
épousée *f.* bride
épousseter to dust off
éprouver to feel, test
épuiser to wear out
érafler to graze
ermite *m.* hermit
escalier *m.* stairway
s'esclaffer to burst out laughing
espèce *f.* sort
espérer to hope
espoir *m.* hope
esprit *m.* nature, mind, spirit
esquif *m.* skiff
essayer to try

essuyer to wipe
estafette *f.* dispatch rider, mounted
  orderly
estimer to believe
établir to establish
étage *m.* floor
étagère *f.* shelf
état *m.* state
été *m.* summer
étendre to stretch out
s'étirer to stretch
étonner to astonish
étranger foreign
étrangler to strangle
être *m.* being
étude *f.* study
étudier to study
éveiller to wake up
événement *m.* event
éviter to avoid
excédé out of patience
s'exécuter to obey
exprès on purpose
fabriquer to make
face *f.* face; **en — de** opposite
fâcher to anger
facile easy
façon *f.* means, way, appearance
faim *f.* hunger
fait *m.* fact
faucher to mow down
faute *f.* mistake, fault; **— de** lack of
fauteuil *m.* armchair
faux false
fébrilement feverishly
feignant *m.* idler
fenêtre *f.* window
fer *m.* iron; **— à repasser** laundry
  iron
fermer to close
fête *f.* feast, celebration
feuilleter to leaf through
fier proud
fierté *f.* pride
fièvre *f.* fever
figer to freeze
figure *f.* face
fil *m.* wire, thread; **— de fer barbelé**
  barbed wire; **perdre le —** to lose

track
fille *f.* daughter; **— d'honneur** bridesmaid
fils *m.* son
finir to finish
fixer to stare at
flatter to stroke, flatter
fleur *f.* flower; **en —** in bloom
flot *m.* wave
flotter to float
foi *f.* faith; **ma —** honestly
fois *f.* time
foncé dark
foncer to darken
foncièrement fundamentally
fond *m.* bottom; **au —** in the back, basically
fonder to found
formation *f.* upbringing
fort strong
fou wild
fouiller to search
fourbir to polish up
fourchette *f.* fork
fourmilière *f.* anthill
fournisseur *m.* supplier
se foutre de not to give a damn about
fracas *m.* crash, disturbance, row
frais fresh
franchement frankly
franchir to cross
franc-parler *m.* frankness
frapper to strike, knock
fredonner to hum
frêle frail
frère *m.* brother
fricandeau *m.* veal stew
froid cold
front *m.* forehead
frotter to rub
fuite *f.* flight, leak
fusil *m.* gun
gâcher to spoil
gagner to win
garçon *m.* boy
garde-manger *m.* pantry
garder to keep
gâteau *m.* cake
gauche left

gêner to embarrass, bother; **se —** to make a fuss
genou *m.* knee; **à —x** on one's knees
genre *m.* type
gens *m.* people
gentil nice
gésir to lie helpless
gifler to slap
glace *f.* mirror
glisser to slip
gonfler to swell
goret *m.* piglet
gorge *f.* throat, breast
gosse *m.* kid
goût *m.* taste
grabat *m.* pallet
grandir to grow up
gratter to scratch
grave solemn, serious
gravir to climb
grenier *m.* attic
griffe *f.* claw
grimper to climb
gris gray
griser to inebriate
grommeler to mutter
gros big
grouiller to crawl
guerre *f.* war
guerrier *m.* warrior
guetter to lie in wait for
gueule *f.* mouth
guise *f.* manner; **en — de** by way of
habiller to dress
habiter to inhabit, live
habitude *f.* habit; **d' —** usually
s'habituer to become used to
haché choppy
haleter to pant
hasarder to venture
hausser to raise; **— les épaules** to shrug one's shoulders
haut high, highly placed
hauteur *f.* height; **à la — de** equal to
hélas alas
hériter to inherit
hésiter to hesitate

hêtre *m.*   beech
heure *f.*   hour, time
heureux   happy
hier   yesterday
hocher   to nod
honnête   decent, honest
honorable   decent
honte *f.*   shame; **avoir —**   to be ashamed
honteux   ashamed
horion *m.*   punch
hors   beyond
housse *f.*   furniture cover
huis *m.*   door
hurler   to yell
idiot   stupid
ignoble   disgraceful
s'immobiliser   to come to a standstill
immonde   filthy
impératif   imperious
importe: n'—   no matter
imprudence *f.*   rashness; **faire des —s** to act rashly
s'incliner   to bow
incroyable   incredible
individu *m.*   individual
inébranlable   unshakable
infect   foul
inférieur   lower
infirmier *m.*   medical orderly
inquiet   worried
insensible   imperceptible
s'installer   to settle down
instar: à l'— de   in the fashion of
insupportable   insufferable
interdire   to prohibit
interroger   to question
interrompre   to interrupt
intrigue *f.*   plot
inutile   useless
inventaire *m.*   inventory
issue *f.*   exit
jadis   of old, former times
jambe *f.*   leg
jambon *m.*   ham
jardin *m.*   garden
jaune   yellow
jeter   to throw
jeu *m.*   game

jeudi *m.*   Thursday
jeune   young
joindre   to join
joli   pretty
jouer   to play
jour *m.*   day
journal *m.*   newspaper
jurer   to swear
juste   exact
képi *m.*   military cap
lâcher   to release, let go of
laid   ugly
laine *f.*   wool
laisser   to leave, let; **— tranquille** to leave alone
lait *m.*   milk
lancer   to throw
langue *f.*   tongue, language
lapin *m.*   rabbit
larder   to inflict numerous wounds on
lassant   tiring
laver   to wash
léger   light
léguer   to will
légume *m.*   vegetable
lentement   slowly
leurre *m.*   decoy
lever *m.*   rising
se lever   to arise
libre   free
lieu *m.*   place; **au — de**   instead of
linge *m.*   laundry
lire   to read
liseron *m.*   convulvulus (*a flower*)
lisser   to smoothe
lit *m.*   bed
livre *m.*   book
livrer   to deliver; **— passage à** to allow to pass; **se — à**   to indulge in
logis *m.*   lodging
loi *f.*   law
loin   far
loisir *m.*   leisure
longer   to hug to the side of, go along
loque *f.*   rag
lourd   heavy
lueur *f.*   gleam, glowing
lumière *f.*   light
lundi *m.*   Monday

lustre *m.* chandelier
machinal mechanical
main *f.* hand
maîtrise *f.* mastery
mal badly
mal *m.* evil, trouble; **faire —** to hurt
malade ill
malgré despite
malheureux unfortunate
malin clever
malle *f.* trunk
malodorant stinking
maltraiter to mistreat
manche *f.* sleeve
manger to eat
manier to wield, handle
manifester to give evidence of
manivelle *f.* crank
manquer to miss
mansarde *f.* attic
marchandise *f.* merchandise
marche *f.* stair; **en —** current
marcher to walk, work, agree to
mardi *m.* Tuesday
mari *m.* husband
marteau *m.* hammer
marteler to hammer
matin *m.* morning
mauvais bad; **— regard** dirty look
méchant bad
meilleur best
mêler to involve
membre *m.* limb
même even, same; **tout de —** after all
mémoire *f.* memory
ménage *m.* couple
ménagère *f.* household
mener to lead
mensonge *m.* lie
menton *m.* chin
mépriser to disdain
mère *f.* mother
merveille *f.* wonder; **à —** marvelously
métier *m.* trade
métro *m.* subway
mettre to put; **se — à** to begin

meuble *m.* furniture
meubler to furnish
miel *m.* honey
mignonne *f.* darling
milieu *m.* center; **au —** in the middle
mimer to mimic
minable shabby
miroir *m.* mirror
miser to bet
mitraillette *f.* submachine gun
mitrailleuse *f.* machine gun
mi-voix under one's breath
mobile *m.* motive
mobilier *m.* furniture
moche shoddy, lousy
modeste unassuming
mois *m.* month
moissonner to harvest
moitié *f.* half
mondain worldly
monde *m.* world; **tout le —** everybody
monter to climb, come up
montrer to show
mordre to bite
mort dead
mot *m.* word; **dire deux —s à** to have a word with
mouche *f.* fly, bull's-eye
se moucher to blow one's nose
moule *f.* mussel
mourir to die
mouvementé eventful
moyen *m.* means
moyenne *f.* average
munir to equip
mur *m.* wall
murer to wall up
naguère formerly
naissance *f.* birth
nauséabond nauseating
néanmoins nonetheless
nécessaire *m.* case; **— à couture** sewing basket
net clear, clean
nettoyer to clean
neveu *m.* nephew
nez *m.* nose

nid *m.* nest
noir black
noisetier *m.* hazel tree
nom *m.* name
nombre *m.* number
nommer to name
nouer to tie
nouille *f.* noodle
nourriture *f.* food
nouveau new; à — again
nu naked, bare
nuit *f.* night; **en pleine —** in the middle of the night
obus *m.* (*artillery*) shell
occuper to keep busy; s'— **de** to take care of
occurrence *f.* event; **en l'—** under the circumstances
odeur *f.* smell
œuf *m.* egg
offrande *f.* offering
offrir to offer
oignon *m.* onion
oisif idle
or *m.* gold
oreille *f.* ear
oriflamme *f.* banner
osciller to sway
oser to dare
ôter to take away, take off
os *m.* bone
osier *m.* wicker
oublier to forget
ouï-dire *m.* hearsay
outil *m.* tool
outre in addition to; **en —** moreover
outré outraged
ouverture *f.* opening
ouvrage *m.* work
ouvrir to open
paille *f.* straw
pain *m.* bread
palais *m.* palace
palier *m.* landing (*of stairs*)
palpable tangible
palper to feel
panier *m.* basket
pantalon *m.* trousers
papier *m.* paper

Pâques *f. pl.* Easter
paquet *m.* package
paraître to appear
parapluie *m.* umbrella
parcourir to examine
pareil of that sort, same
parer to ready
paresseux lazy
parfait perfect
parfum *m.* perfume
parier to bet
parler to speak
parole *f.* word; **adresser la —** à to speak to
particularité *f.* characteristic
partir to go out, leave
partout everywhere
parvenir to arrive, succeed
passage *m.* hall; **au —** on the way
passé *m.* past
passer to spend, go, pass; **se —** to happen; **se — de** to get along without
patins *m. pl.* skates; **— à roulettes** roller skates
patrie *f.* fatherland
pauvre poor
pavé *m.* pavement
payer to pay
peine *f.* sorrow, difficulty; **à —** hardly, barely
pelote *f.* ball
pencher to lean over
pendule *f.* clock
pensée *f.* thought
penser to think
Pentecôte *f.* Whitsuntide
perdre to lose; **— pied** to lose one's footing
père *m.* father
perle *f.* pearl
permettre to permit
petit little
petit *m.* little one
peu little
peuple *m.* people
peur *f.* fear; **faire —** to frighten
pièce *f.* room; play
pied *m.* foot

pillage *m.* looting

pique-nique *m.* picnic

piquer to poke

pire worst

piteux pitiful

pitié *f.* pity

placard *m.* closet

place *f.* room

plaie *f.* wound

plaindre to feel sorry for, pity

plaire to please

plaisir *m.* pleasure; faire — to make happy

planche *f.* board, plank

plat flat

plein full, total

pleurer to cry

pleuvoir to rain

plier to bend

plonger to plunge

plusieurs several

poids *m.* weight

poignée *f.* doorknob

poignet *m.* wrist

poing *m.* fist

pois de senteur *m.* sweet pea

poitrine *f.* chest

portant carrying; être mal — to be sick

porte *f.* door

porter to carry, wear

posément collectedly, calmly

poser to place, put, put down

potage *m.* soup

poudre *f.* gun powder

poulet *m.* chicken

pouls *m.* pulse

pourrir to rot

pousser to grow, emit, push

poussière *f.* dust

pouvoir *m.* power

praticable passable

précipiter to hurry

préciser to define

prendre to take

présenter to introduce

presque almost

pressant urgent

presser to hurry

prêt ready

prétendre to assert

preuve *f.* proof

prévenant thoughtful

primesautier impulsive

principe *m.* principle

printemps *m.* spring

priver to deprive

prix *m.* price

prochain near, next

prochain *m.* neighbor

proche near, recent

produire to produce; se — to take place

profiter to take advantage of

se promener to walk

promesse *f.* promise

propre own; clean

provision *f.* supply

pustuleux infected

qualificatif *m.* epithet

quasi almost

quenelle *f.* fish ball

quête *f.* collection

quitter to leave

quotidien everyday

raccrocher to hang on to, cling to

racler to clear

raconter to tell

radis *m.* radish

rafale *f.* burst

rage *f.* fury; faire — to rage

raide stiff

raisin *m.* grape

raison *f.* reason; avoir — to be right

râle *m.* death rattle

ramasser to pick up

rangement *m.* tidying

ranger to put away

rappeler to recall

rapporter to bring back, relate

rapprocher to bring together; se — to approach

raser to shave

ravi delighted

rayé scratched, striped

réagir to react

récemment recently

réchaud *m.* hot plate

rêche   coarse

rechercher   to search for, inquire into

récit *m.*   recital

reconnaissance *f.*   gratitude

reconnaître   to recognize

reconstitution *f.*   reconstruction

reculer   to step backward, move back, retreat

récurer   to scour

se redresser   to get up

réfléchir   to reflect

régir   to rule

règle *f.*   rule

règne *m.*   realm

relever   to lift, raise; se —   to get up

reluire   to glow, shine

remarquer   to distinguish, notice

remémorer   to recall

remercier   to thank

remettre   to put back; se — en marche   to set out again; se — à to go back to

remplacer   to replace

remplir   to fill up

remue-ménage *m.*   stir, bustle

remuer   to move, shake up

rencontre *f.*   meeting

rencontrer   to meet

renifler   to sniff

rentrer   to go home, come back

réparer   to fix

répartir   to distribute

repas *m.*   meal

repère *m.*   point of reference

repérer   to notice

répertorier   to list

répéter   to repeat

répondre   to answer

reposer   to put aside, rest

reprendre   to start again

se représenter   to imagine

réprimander   to scold

résoudre   to solve

respirer   to breathe

resplendir   to shine

rester   to remain

retenir   to remember, secure, hold; se —   to keep oneself from, prac-

tice restraint

retentir   to resound, echo

retirer   to take off, take out, withdraw; — **du coup**   to withdraw from an affair

retraite *f.*   retreat

réunir   to gather

réussir   to succeed

revenir   to come back

rêver   to dream

revêtir   to put on

ricaner   to laugh derisively

rideau *m.*   curtain

rire   to laugh

risquer   to venture

river   to rivet

robinet *m.*   faucet

roseau *m.*   reed

rose trémière *f.*   hollyhock

rouge   red

rougir   to blush

rouler   to roll

rue *f.*   street

ruer   to kick; se —   to rush

rumeur *f.*   noise

sable *m.*   sand

sac *m.*   bag

sage   wise

saignée *f.*   bloodletting

saigner   to bleed

sain   healthy

saisir   to seize

sale   dirty

salle *f.*   room; — **à manger**   dining room

salon *m.*   living room

samedi *m.*   Saturday

sang *m.*   blood

sangloter   to sob

santé *f.*   health

sapin *m.*   pine

satisfaire   to satisfy

saucisson *m.*   sausage

saugrenu   ridiculous

scène *f.*   stage

scruter   to examine

sec   dry

secouer   to shake

sein *m.*   bosom

semblable similar
semblable *m.* fellow(*-man*)
sembler to seem
semoule *f.* semolina
sens *m.* sense, meaning, direction
sentier *m.* path
sentir to smell, feel
serre *f.* hothouse
serrer to clutch
serviable obliging
serviette *f.* napkin
servir to serve; — à to be useful
  for; **se — de** to use
seul alone
siège *m.* seat
singulier strange
soie *f.* silk
soif *f.* thirst
soigner to take care of
soigneusement carefully
soir *m.* evening
sol *m.* floor, ground
soldat *m.* soldier
soleil *m.* sun
sombre dark
sommation *f.* summation
somme *f.* sum; **en —** in short
son *m.* sound
songer to think
sonner to ring
sort *m.* fate, lot
sortir to take out, go out
soudain suddenly
souder to weld
souffle *m.* breath
soulager to relieve
sourd dull, muted
sourire to smile
soutenir to hold (*up*); maintain
se souvenir to remember
souvenirs *m. pl.* memories
souvent often
stupéfier to astonish
stupeur *f.* astonishment
subir to undergo
subit sudden
suffire to be sufficient
suite *f.* continuation; **ainsi de —** and
  so on; **par la —** later on; **tout de —**

at once
suivre to follow
sujet *m.* subject
superfétatoire superfluous
supposer to assume
surmonter to dominate
surprendre to surprise
sursaut *m.* start, jump
susceptible touchy
sympathique likable
tableau *m.* painting
tablier *m.* apron
taille *f.* height, size
taire to silence; **se —** to be silent,
  be quiet
tambouriner to drum
tante *f.* aunt
taper to beat
tapir to cower, crouch
tapis *m.* rug
tapoter to pat
tard late
tartine *f.* bread and butter
tas *m.* mound
se tasser to shrink
tâter to feel
tâtonner to feel
teinte *f.* hue
temps *m.* time, moment; **entre —** in
  the meanwhile
tendre to hand
tendu tense
tenir to hold, obtain
tenter to try
tenue *f.* dress
terrasser to throw down
terre *f.* earth; **par —** on the ground
terrorisé terrified
tête *f.* head
têtu stubborn
thé *m.* tea
tiède warm
tilleul *m.* linden tree
tirer to pull, shoot
tiroir *m.* drawer
tissu *m.* fabric
titre *m.* title
tituber to stagger
toile *f.* cloth

toilette *f.* dress; **table de —** dressing table

toit *m.* roof

toiture *f.* roofing

tomber to fall; **laisser —** to abandon

tort *f.* wrong; **avoir —** to be wrong

tour *m.* turn

tournevis *m.* screwdriver

traîner to drag, move around

trait *m.* feature

tranche *f.* slice

tranchée *f.* trench

tranquille calm

trappe *f.* trapdoor

travail *m.* work

traverser to cross, go through

trébucher to stumble

trémière *see* **rose trémière**

tremper to soak

tricot *m.* jumper

tricoter to knit

tromper to deceive; **se —** to make a mistake

trop too much

trouver to find; **se —** to be

tuer to kill

ultime ultimate

unir to unite

user to wear out

ustensile *m.* utensil

utile useful

vacarme *m.* din

vaccin *m.* vaccination

vache *f.* cow

vaisselle *f.* dishes

valeur *f.* value

valise *f.* suitcase

valoir to be worth

vaquer to bustle about

vareuse *f.* fatigue jacket

vaurien *m.* good-for-nothing

veau *m.* calf, veal

vedette *f.* (*movie*) star

véhiculer to transport

velu hairy

vendeur *m.* seller

vendre to sell

vent *m.* wind

vente *f.* sale

ventre *m.* stomach, belly; **à plat —** flat on his belly

verdoyant verdant

vérifier to check

verni polished

verre *m.* glass

verser to pour

vert green

vertement roundly

vertige *m.* dizziness

veston *m.* jacket

vêtement *m.* clothes

vêtir to dress

vide empty

vider to empty

vie *f.* life

vieux old

vieux *m.* old man

vif lively

ville *f.* city

vin *m.* wine

virer to turn

vis *f.* screw

visage *m.* face

vis-à-vis opposite

viser to aim

visiblement obviously

visser to screw

vite quickly

vitre *f.* windowpane

vivre to live

voguer to sail

voisin *m.* neighbor

voisinage *m.* neighborhood

voiture *f.* car

voix *f.* voice

volée *f.* flight (*of stairs*); **à toute —** with full force

voler to fly, to steal

volubilis *m.* convolvulus (*a flower*)

vouloir to wish; **en — à** to hold a grudge against; **— bien** to be willing to

vrai true, real

yeux *m. pl.* eyes